D1455575

Collection **L'Imaginaire**

Salvador Dali

JOURNAL
D'UN GÉNIE

Introduction et notes de Michel Déon
de l'Académie française

Gallimard

Né en 1904 à Figueras, Salvador Dali manifeste dès son plus jeune âge un don pour le dessin et la peinture. En 1921, année de la mort de sa mère, il entre à l'École des beaux-arts de Madrid, et rencontre García Lorca et Buñuel. Ses œuvres sont alors de facture impressionniste, parfois pointilliste et toujours exubérante. Troublant l'ordre universitaire, il remet en cause les capacités de ses enseignants et se voit expulsé de l'école pour un an, puis définitivement en 1926. Les œuvres de cette période dénotent une influence du cubisme et du surréalisme abstrait : *Visage de femme* (1927), *Autoportrait divisé en trois* (1927).

Il commence alors à être connu parmi les artistes catalans et rejoint officiellement en 1929 le groupe surréaliste. La même année, il séduit la femme de Paul Éluard, Gala, qui sera désormais son modèle, sa compagne et sa « muse surréaliste », inspiratrice de son œuvre. À partir de 1934, Dali s'écarte progressivement des surréalistes et d'André Breton jusqu'à la rupture définitive avec le groupe, en 1939.

Le peintre applique depuis 1930 la méthode dite de la « paranoïa critique », qu'il expose à la Sorbonne au cours d'une conférence triomphale en 1955. En 1974, Dali ouvre son propre musée, le Teatro Museo à Figueras, et c'est en 1978 qu'il est reçu à l'Académie des beaux-arts de Paris. Après la mort de Gala en 1982, il se retire au château du Púbol et meurt en 1989 dans la Torre Galatea à Figueras. Conformément à son souhait, sa dépouille est placée sous la coupole du Teatro Museo.

Artiste capable de détecter les tendances nouvelles et de les vampiriser, provocateur dans ses délires esthétiques, Dali eut le don de l'image, l'art de juger vite et fort. Il fut aussi un chercheur passionné dont le génie s'appliqua à plusieurs domaines, et dont nombre d'œuvres sont restées célèbres : *Autoportrait, Portrait de Gala, L'Angélus de Gala, Espagne, Léda Atomica, Le Christ du Vallès*...

Je dédie ce livre à MON GÉNIE GALA GRADIVA, HÉLÈNE DE TROIE, SAINTE HÉLÈNE, GALA GALATEA PLACIDA.

INTRODUCTION

Depuis de nombreuses années, Salvador Dali nous entretenait du journal qu'il tient régulièrement. Tenté d'abord de l'intituler Ma Vie re-secrète *pour faire suite à* La Vie secrète de Salvador Dali *par Salvador Dali, il a préféré lui laisser le titre plus exact et plus proche de la réalité,* Journal d'un génie, *qui orne le premier des cahiers d'écolier sur lequel il a entrepris cette nouvelle œuvre. Le fait est qu'il s'agit bien d'un journal. Dali y a jeté en vrac ses pensées, ses tourments de peintre affamé de perfection, son amour pour sa femme, le récit de ses rencontres extraordinaires, ses idées esthétiques, morales, philosophiques, biologiques.*

Son génie, Dali en a, jusqu'au vertige, la conscience. C'est, semble-t-il, un sentiment intime très réconfortant. Ses parents l'ont prénommé Salvador parce qu'il était destiné à être le sauveur de la peinture menacée de mort par l'art abstrait, le surréalisme académique, le dadaïsme et en général, tous les « ismes » anarchiques. Ce journal est donc un monument élevé par Salvador Dali à sa propre gloire. Si toute modestie en est absente, en revanche, sa sincérité brûle. L'auteur s'y dépouille de ses secrets avec une impudeur insolente, un humour débridé, une cocasserie étincelante. Comme La Vie secrète *le* Journal d'un génie *est un hymne à la splendeur de la Tradition, de la Hiérarchie catholique et de la Monarchie. C'est dire combien, de nos jours, ces pages paraîtront subversives aux ignorants.*

On ne saura pas non plus ce qu'il faut y priser le plus : la sincérité dans l'immodestie ou l'immodestie dans la sincérité. En racontant lui-même sa vie quotidienne, Dali prend de court ses biographes et fait pousser un peu d'herbe sous les pas de ses commentateurs. N'est-il pas l'homme le plus autorisé à parler de lui-même ? On ne lui contestera pas ce droit, d'autant qu'il en parle avec un luxe de détails, une intelligence et un lyrisme qui lui sont propres.

On croit connaître Dali parce qu'il a choisi, avec un courage extrême, d'être un homme public. Les journalistes avalent gloutonnement tout ce qu'il leur débite, et c'est finalement son bon sens paysan qui surprend le plus, comme dans la scène du jeune homme qui veut réussir et se voit conseiller de manger du caviar et de boire du champagne pour ne pas mourir de faim en peinant comme un tâcheron. Mais ce qui est le plus aimable en Dali ce sont ses racines et ses antennes. Racines plongées profondément sous terre où elles vont à la recherche de tout ce que l'homme a pu produire de « succulent » (selon un de ses mots favoris) en quarante siècles de peinture, d'architecture et de sculpture. Antennes dirigées vers l'avenir qu'elles hument, prévoient et comprennent avec une foudroyante rapidité. Il ne sera jamais assez dit que Dali est un esprit d'une curiosité scientifique insatiable. Toutes les découvertes, toutes les inventions retentissent dans son œuvre et y apparaissent sous une forme à peine transposée.

Bien mieux même, Dali est en avance sur la science dont il prévoit, par un étrange détour irrationnel, les progrès rationnels. Il lui est même souvent arrivé une aventure singulière pour un créateur : ses propres inventions le dépassent, vont plus vite que lui, s'organisent sans qu'il en prenne soin. Après avoir traversé à ses débuts une période d'incrédulité et de méconnaissance, son œuvre en est arrivée au point qu'on croit la retrouver partout. Mieux encore : ses idées lancées dans la nature avec un semblant de désordre n'ont plus besoin de lui pour prendre vie et forme. Il lui arrive de s'en étonner. Le germe déposé en hâte a levé. Dali en contemple les fruits avec cette distraction qui lui est propre. Il ne croyait plus à l'irréalisable projet quand la volonté des uns, le hasard des autres le développe, le mûrit, le réussit.

Ajouterai-je encore que le Journal d'un génie *est l'œuvre d'un authentique écrivain. Dali a le don de l'image, l'art de juger vite et fort. Son verbalisme a les chatoiements, le baroque et le caractère Renaissance retrouvée de sa peinture. On n'a touché à ces pages que pour l'orthographe qu'il a phonétique dans toutes les langues qu'il écrit, que ce soit le catalan, l'espagnol, le français ou l'anglais, sans rien retran-cher de sa luxuriance, de son verbalisme et de ses obses-sions. C'est là un document de premier ordre sur un peintre révolutionnaire dont l'importance est considérable, sur un esprit fertile en prodiges et en éclats. Les amateurs d'art et de sensations fortes, comme les psychiatres peuvent se pencher sur ces pages avec passion. Elles parlent d'un homme qui a dit : « L'unique différence entre un fou et moi, c'est que moi je ne suis pas fou. »*

Michel Déon.

PROLOGUE

*Il y a plus de différence entre un homme
et un autre homme qu'entre deux animaux
d'espèce différente.*

Michel de Montaigne.

Depuis la Révolution française, se développe une vicieuse tendance crétinisatrice qui tend à faire considérer par tout un chacun, que les génies (mise à part leur œuvre) sont des êtres humains plus ou moins semblables en tout au restant du commun des mortels. Ceci est faux. Et si ceci est faux pour moi qui suis, à notre époque, le génie à la spiritualité la plus vaste, un véritable génie moderne, ceci est encore plus faux pour les génies qui incarnèrent le sommet de la Renaissance, tel Raphaël génie quasi divin.

Le livre que voici prouvera que la vie quotidienne d'un génie, son sommeil, sa digestion, ses extases, ses ongles, ses rhumes, son sang, sa vie et sa mort sont essentiellement différents de ceux du reste de l'humanité. Ce livre unique est donc le premier journal écrit par un génie. Bien plus, par l'unique génie qui ait eu la chance unique d'être marié avec le génie de Gala, celle qui est l'unique femme mythologique de notre temps.

Bien entendu, tout ne sera pas dit aujourd'hui. Il y aura des pages blanches dans ce journal qui couvre les années 52 à 63 de ma vie re-secrète. A ma prière et d'accord avec mon éditeur, certaines années et certaines journées doivent rester inédites pour le moment. Les régimes démocratiques ne sont pas aptes à la publication des révélations foudroyantes dont je suis coutumier. Les inédits paraîtront plus tard dans les huit volumes suivants de la première série du *Journal d'un génie* si les circonstances le permettent et sinon dans la deuxième série quand l'Europe aura recouvré ses monarchies traditionnelles. En attendant ce moment, je veux que mon lecteur reste en haleine et connaisse sur l'atome de Dali tout ce qu'il peut déjà savoir.

Telles sont les raisons uniques et prodigieuses, mais strictement véridiques qui font que tout ce qui va suivre, du début à la fin (et sans que j'y sois pour rien) sera génial d'une façon ininterrompue et inéluctable, rien que par le seul fait qu'il s'agit du Journal fidèle de votre fidèle et humble serviteur

1952

MAI

Port Lligat, le 1ᵉʳ

*« Est un héros celui qui se révolte contre
l'autorité paternelle et la vainc. »*
Sigmund Freud.

Pour écrire ce qui va suivre, j'utilise pour la première
fois des souliers vernis que je n'ai jamais pu porter longtemps parce qu'ils sont horriblement étroits. Je les chausse
d'ordinaire juste avant de commencer une conférence. La
contrainte douloureuse qu'ils exercent sur mes pieds
accentue au maximum mes capacités oratoires. Cette douleur fine et écrasante me fait chanter comme un rossignol
ou un des chanteurs napolitains qui portent, eux aussi, des
souliers trop étroits. L'envie physique viscérale, la torture
envahissante que provoquent mes souliers vernis
m'obligent à faire jaillir des mots des vérités condensées,
sublimes, généralisées par la suprême inquisition de la
douleur subie par les pieds. Je chausse donc mes souliers
et je commence à écrire masochiquement et sans précipitation toute la vérité sur mon exclusion du groupe surréaliste. Je me moque bien des calomnies que peut lancer
contre moi André Breton qui ne me pardonne pas d'être le
dernier et le seul surréaliste, mais il importe que tout le
monde sache un jour, quand je publierai ces pages, com-

ment les choses se sont réellement passées. Pour cela, il faut que je remonte à mon enfance. Je n'ai jamais su être un élève moyen. Tantôt je paraissais fermé à tout enseignement, faisant montre de l'esprit le plus obtus de la terre, tantôt je me jetais dans l'étude avec une frénésie, une patience et une volonté d'apprendre qui déroutaient tout le monde. Mais pour que mon zèle fût stimulé, il fallait que l'on me présentât une chose qui me plût. Appâté par ce qui s'offrait, je montrais alors une faim dévorante.

Le premier de mes professeurs, Don Esteban Trayter[1], me répéta pendant un an que Dieu n'existait pas. Péremptoire, il ajoutait que la religion était « affaire de femme ». Malgré mon jeune âge, cette idée m'enchanta. Elle me paraissait d'une vérité étincelante. Je pouvais la vérifier tous les jours dans ma propre famille où seules les femmes allaient à l'église, tandis que mon père s'y refusait en se déclarant libre-penseur. Pour mieux affirmer encore la liberté de sa pensée, il émaillait le moindre de ses discours de blasphèmes énormes et pittoresques. Si quelqu'un s'indignait, il se plaisait à répéter l'aphorisme de son ami Gabriel Alamar : « Le blasphème est le plus bel ornement de la langue catalane. »

J'ai entrepris par ailleurs de conter la vie tragique de mon père. Elle est digne de Sophocle. Mon père est, en effet, l'homme que j'ai non seulement le plus admiré, mais aussi le plus imité, tout en le faisant beaucoup souffrir. Je prie Dieu de le garder en Sa Sainte Gloire où je suis convaincu qu'il est déjà, car les trois ultimes années de sa vie furent marquées par une profonde crise religieuse qui lui valut la consolation et le pardon final des derniers sacrements.

Mais à cette époque de mon enfance où mon esprit s'efforçait d'atteindre à la connaissance, je ne trouvais

---

1. Dali a parlé dans sa *Vie secrète* (Éd. La Table Ronde) de cet étrange professeur qui, durant la première année de son école, lui désapprit le peu d'alphabet et de chiffres qu'il savait.

dans la bibliothèque de mon père que des livres athéistes. En les feuilletant j'appris avec soin, sans laisser aucune preuve au hasard, que Dieu n'existe pas. Je lus avec une patience incroyable les Encyclopédistes qui me paraissent, aujourd'hui, dégager un insupportable ennui. Le *Dictionnaire philosophique* de Voltaire me fournit à chacune de ses pages, des arguments d'homme de loi (comme ceux de mon père qui était notaire), sur la non-existence de Dieu.

Lorsque j'ouvris Nietzsche pour la première fois, je fus profondément choqué. Noir sur blanc, il avait l'audace d'affirmer : « Dieu est mort ! » Comment ! Je venais d'apprendre que Dieu n'existait pas et maintenant quelqu'un me faisait part de son décès ! Mes premiers soupçons prirent naissance. Zarathoustra me parut un héros grandiose dont j'admirais la grandeur d'âme, mais en même temps il se trahissait par des puérilités que, moi Dali, j'avais dépassées. Un jour je serai plus grand que lui ! Le lendemain de ma première lecture d'*Ainsi parlait Zarathoustra*, j'avais déjà mon idée sur Nietzsche. C'était un faible qui avait eu la faiblesse de devenir fou, alors que dans ce domaine l'essentiel est de ne pas devenir fou ! Ces réflexions me fournirent les éléments de ma première devise, celle qui deviendrait le thème de ma vie : « L'unique différence entre un fou et moi, c'est que moi je ne suis pas un fou ! » En trois jours, j'achevai d'assimiler et de digérer Nietzsche. Ce repas de fauve terminé, il ne me resta qu'un seul détail de la personnalité du philosophe, un seul os à ronger : ses moustaches ! Plus tard, Federico Garcia Lorca fasciné par les moustaches d'Hitler devait proclamer que « les moustaches sont la constante tragique du visage de l'homme ». Même par les moustaches, j'allais surpasser Nietzsche ! Les miennes ne seraient pas déprimantes, catastrophiques, accablées de musique wagnérienne et de brumes. Non ! Elles seraient effilées, impérialistes, ultra-rationalistes et pointées vers le ciel, comme le mysticisme vertical, comme les syndicats verticaux espagnols.

Si Nietzsche au lieu de m'enfoncer dans mon athéisme, donna pour la première fois naissance dans mon esprit aux interrogations et aux doutes de l'inspiration prémystique qui devait trouver son couronnement le plus glorieux en 1951 lorsque je rédigeai mon *Manifeste*[1], en revanche sa personnalité, son système pileux et son attitude intransigeante à l'égard des vertus larmoyantes et stérilisantes du Christianisme, contribuèrent intérieurement à développer mes instincts antisociaux et antifamiliaux, et extérieurement à dessiner ma silhouette. A dater de la lecture de *Zarathoustra*, je laissai pousser des favoris hirsutes qui couvrirent mes joues jusqu'à la commissure des lèvres, tandis que mes cheveux d'ébène s'allongèrent comme ceux d'une femme. Nietzsche réveilla en moi l'idée de Dieu. Mais aussi l'archétype qu'il proposa à mon admiration et à mon imitation, suffit à me faire expulser de ma famille. Je fus banni pour avoir étudié avec trop de soin et suivi au pied de la lettre l'enseignement athéiste et anarchisant des livres de mon père, qui ne pouvait tolérer non plus que je le surpasse en tout, et, en particulier, que mes blasphèmes fussent plus virulents encore que les siens.

Les quatre années qui précédèrent mon expulsion de ma famille, je les vécus dans un état de « subversion spirituelle » constant et extrême. Ce furent quatre années authentiquement nietzschéennes pour moi. Mon existence d'alors serait incompréhensible si on ne la replaçait pas dans cette atmosphère. Ce fut l'époque de mon emprisonnement à Gérône, du refus d'un de mes tableaux pour obscénité par le Salon d'automne à Barcelone, de mes lettres d'injures signées avec Buñuel aux médecins humanistes et à tous les personnages les plus prestigieux de l'Espagne y compris au prix Nobel, Juan Ramon Jimenez. La plupart du temps ces manifestations étaient parfaitement injustes, mais j'entendais affirmer là ma « volonté de

1. *Manifeste mystique*, par Salvador Dali (Paris, 1952).

puissance » et me prouver à moi-même que j'étais encore inaccessible au remords. Mon super-homme était destiné à être rien moins qu'une femme, la super-femme Gala.

Lorsque les surréalistes découvrirent dans la maison de mon père, à Cadaquès, le tableau que je venais de peindre et que Paul Éluard baptisa : *le Jeu lugubre*, ils furent scandalisés par les éléments scatologiques et anaux de l'image représentée. Gala, surtout, désapprouva mon œuvre avec une véhémence qui me révolta ce jour-là, mais que, depuis, j'ai appris à adorer. Je me disposais à entrer dans le groupe surréaliste dont je venais d'étudier consciencieusement, en les décortiquant jusqu'au plus petit osselet, les mots d'ordre et les thèmes. J'avais cru comprendre qu'il s'agissait de transcrire spontanément la pensée sans aucun contrôle rationnel, esthétique ou moral. Or, avant même que j'entre effectivement dans le groupe avec la meilleure bonne foi du monde, on allait exercer sur moi des contraintes semblables à celles de ma propre famille. Gala fut la première à m'avertir que, parmi les surréalistes, j'allais souffrir des mêmes veto qu'ailleurs, et qu'au fond ils étaient tous des bourgeois. Ma force, prévoyait-elle, serait de rester équidistant de tous les mouvements artistiques et littéraires. Avec une intuition qui dépassait alors la mienne, elle ajoutait que l'originalité de ma méthode d'analyse paranoïa-critique aurait suffi à n'importe quel membre du groupe pour fonder une école à part. Mon dynamisme nietzschéen ne voulut pas écouter Gala. Je refusai catégoriquement de considérer les surréalistes comme un groupe littéraire et artistique de plus. Je les croyais capables de libérer l'homme de la tyrannie du « monde pratique rationnel ». J'allais devenir le Nietzsche de l'irrationnel. Moi le rationaliste enragé, j'étais le seul à savoir ce que je voulais : je ne me soumettrais pas à l'irrationnel pour l'irrationnel, à l'irrationnel narcissiste et réceptif tel que le pratiquaient les autres, mais, tout au contraire, je livrerais bataille pour la « conquête de l'irrationnel »[1]. Pendant ce temps-là, mes amis se laisseraient investir par l'irrationnel, succombant comme tant d'autres, Nietzsche y compris, à cette faiblesse romantique.

Enfin imbibé de tout ce que les surréalistes avaient publié, en ordre avec Lautréamont et le marquis de Sade, je fis mon entrée dans le groupe, armé de ma bonne foi bien jésuitique, mais conservant l'arrière-pensée précise de devenir très vite son chef. Pourquoi me serais-je embarrassé de scrupules chrétiens à l'égard de mon nouveau père, André Breton, alors que j'en avais pas eu avec celui qui m'avait réellement donné le jour ?

Je pris donc le surréalisme au pied de la lettre, ne négligeant ni le sang, ni les excréments dont ses tenants nourrissaient leurs diatribes. Tout comme je m'étais appliqué à devenir un parfait athée en lisant les livres de mon père, je fus un étudiant ès surréalismes si consciencieux que rapidement je devins le seul « surréaliste intégral ». A tel point que l'on finit par m'expulser du groupe parce que j'étais trop surréaliste. Les raisons alléguées me parurent du même acabit que celles qui avaient motivé mon expulsion hors de ma famille. Gala-Gradiva, « celle qui avance », « l'Immaculée intuition », avait eu raison une fois de plus. Aujourd'hui je puis dire que, de toutes mes certitudes, deux seulement ne s'expliquent pas par ma volonté de puissance : l'une est ma Foi retrouvée depuis 1949, l'autre est que Gala aura toujours raison en ce qui concerne mon avenir.

Quand Breton découvrit ma peinture, il se montra choqué par les éléments scatologiques qui la maculaient. J'en fus surpris. Je faisais mes débuts dans la m... ce qui, du point de vue de la psychanalyse, pourrait par la suite être interprété comme l'heureux présage de l'or qui menaçait — heureusement ! — de fondre sur moi. Insidieusement,

1. *La Conquête de l'irrationnel,* par Salvador Dali (Éditions surréalistes, 1935).

j'essayais de faire croire aux surréalistes que ces éléments scatologiques ne pouvaient que porter chance au mouvement. J'eus beau invoquer à la rescousse l'iconographie digestive de toutes les époques et de toutes les civilisations : la poule aux œufs d'or, le délire intestinal de Danae, l'âne aux excréments dorés, on ne voulut pas me faire confiance. Ma décision fut aussitôt prise. Puisqu'ils ne voulaient pas de la m... que je leur offrais si généreusement, je garderais ces trésors et cet or pour moi. La fameuse anagramme laborieusement composée vingt ans après par Breton : « Avida Dollars », aurait déjà pu être lancée prophétiquement à cette époque.

Il ne me fallut pas plus d'une semaine passée au sein du groupe surréaliste pour découvrir que Gala avait raison. On toléra, dans une certaine mesure, mes éléments scatologiques. En revanche une quantité d'autres choses furent déclarées « tabous ». Je reconnaissais là les mêmes interdictions qu'au sein de ma famille. Le sang m'était permis. Je pouvais y ajouter un peu de caca. Mais je n'avais pas droit au caca seul. On m'autorisait à représenter des sexes, mais pas de phantasmes anaux. Tout anus était regardé d'un très mauvais œil ! Les lesbiennes leur plaisaient assez, mais pas les pédérastes. Dans les rêves on pouvait utiliser à volonté le sadisme, les parapluies et les machines à coudre, mais, sauf pour les profanes, tout élément religieux en était banni, même à caractère mystique. Si l'on rêvait simplement d'une madone de Raphaël sans blasphèmes apparents, il était défendu d'en parler...

Comme je l'ai déjà dit, je me faisais cent pour cent surréaliste. Conscient de ma bonne foi, je me décidai à pousser mon expérience jusqu'à ses conséquences extrêmes et contradictoires. Je me sentais prêt à agir avec cette hypocrisie méditerranéenne et paranoïaque dont je me crois seul capable dans la perversité. L'important alors était pour moi de faire le maximum de péchés, bien que je fusse déjà ébloui par les poèmes de saint Jean de la Croix

que je ne connaissais encore que pour les avoir entendu
réciter avec exaltation par Garcia Lorca. J'avais déjà le
pressentiment que, plus tard, la question religieuse se
poserait dans ma vie. A l'imitation de saint Augustin qui
en s'abandonnant au libertinage et aux plaisirs orgiaques,
priait Dieu de lui accorder la Foi, j'invoquais le Ciel en
ajoutant : « Oui, mais pas tout de suite. Dans quelque
temps seulement... » Avant que ma vie devienne ce qu'elle
est aujourd'hui : un exemple d'ascétisme et de vertu, je
voulais m'agripper à mon surréalisme illusoire du pervers
polymorphe, ne fût-ce que trois minutes de plus, comme le
dormeur qui s'acharne à retenir les dernières bribes d'un
rêve dionysiaque. Le Dionysos nietzschéen m'accompagna
partout comme une patiente nourrice, et bientôt je ne
tardai pas à remarquer qu'il lui poussait un chignon et que
sa manche s'ornait d'un brassard à croix gammée.
L'affaire allait se gammer — pardon ! — se gâter parmi
ceux qui, déjà, commençaient à devenir gâteux.

Je n'ai jamais refusé à ma féconde et élastique imagination les procédés de recherche les plus rigoureux. Ils ne
firent que donner de la rigidité à ma loufoquerie congénitale. C'est ainsi qu'au sein même du groupe surréaliste, je
m'ingéniais chaque jour à faire accepter une idée ou une
image en complète contradiction avec le « goût surréaliste ». Tout ce que j'apportais, en effet, contrecarrait leurs
désirs. Ils n'aimaient pas les anus ! Avec ruse je leur en
apportais des masses bien dissimulés, et de préférence des
anus machiavéliques. Si je construisais un objet surréaliste dans lequel n'apparaissait aucun phantasme de cet
ordre, le fonctionnement symbolique de cet objet était
exactement celui d'un anus. Ainsi face à l'automatisme pur
et passif, j'opposais la pensée agissante de ma fameuse
méthode d'analyse paranoïa-critique. A l'enthousiasme
pour Matisse et les tendances abstraites, j'opposais encore
la technique ultra-rétrograde et subversive de Meissonier.
Pour faire échec aux objets sauvages, je lançai les objets

ultra-civilisés du Modern' style que nous collectionnions avec Dior et qui devaient un jour faire leur réapparition dans la mode avec le « new-look ».

Au moment même où Breton ne voulait plus entendre parler de religion, je m'apprêtais, bien entendu, à en inventer une nouvelle qui serait à la fois sadique, masochiste, onirique et paranoïaque. Ce fut la lecture des œuvres d'Auguste Comte qui me donna l'idée de ma religion. Le groupe surréaliste parviendrait peut-être à réussir ce que le philosophe n'avait pu achever. Auparavant il me fallait intéresser le futur grand prêtre, André Breton, à la Mystique. J'entendais lui expliquer que si ce que nous défendions était vrai, nous devions y ajouter un contenu mystique et religieux. J'avoue que, déjà en ce temps-là, je pressentais que nous reviendrions tout simplement à la vérité de la religion catholique, apostolique et romaine qui peu à peu m'éblouissait de sa gloire. A mes explications, Breton répondait par un sourire, et en revenait toujours à Feuerbach dont nous savons maintenant que la philosophie a des échappées idéalistes, chose que nous ignorions alors.

Tandis que je lisais Auguste Comte pour établir sur des bases solides ma nouvelle religion, Gala se révélait la plus positiviste de nous deux. Elle passait, en effet, ses journées chez les marchands de couleurs, les antiquaires et les restaurateurs de tableaux à m'acheter les pinceaux, les vernis et tout le matériel qui me permettraient le jour où je m'y déciderais à cesser de coller des chromos et des bouts de papier sur mes toiles, à peindre réellement. Je ne voulais naturellement pas entendre parler de technique au moment où je créais la cosmogonie dalinienne avec ses montres molles qui prophétisaient la désintégration de la matière, ses œufs sur le plat sans le plat, ses hallucinants et angéliques phosphènes, réminiscence de mon paradis intra-utérin perdu le jour de ma naissance. Je n'avais même pas le temps de tout peindre convenablement. Il suffisait que l'on comprît ce que je signifiais. La génération suivante s'occuperait d'achever et de fignoler mon œuvre. Gala n'était pas de mon avis. Comme une mère avec son enfant qui n'a pas d'appétit, elle insistait :

— Voyons, petit Dali, essaye ce produit rarissime. C'est de l'ambre liquide, de l'ambre qui n'a pas été brûlé. On dit que Vermeer s'en servait pour peindre.

Avec un air dégoûté et nostalgique, j'essayais :

— Oui ! On dirait que cet ambre a des qualités. Mais tu sais bien que je n'ai pas le temps de m'appliquer à ces détails. J'ai bien mieux. J'ai une idée ! Une idée qui scandalisera tout le monde et en particulier les surréalistes. On ne pourra rien dire car j'ai rêvé deux fois de ce nouveau Guillaume Tell ! Il s'agit de Lénine. Je veux le peindre avec une fesse de trois mètres de long soutenue par une béquille. Il me faudrait pour cela une toile de cinq mètres et demi... Je peindrai mon Lénine avec son appendice lyrique même si on m'expulse du groupe surréaliste. Il tiendra dans ses bras un petit garçon qui sera moi. Mais il me regardera d'un œil cannibale et je crierai : « Il veut me manger !... »

« Cela je ne le dirai pas à Breton ! » ajoutai-je, plongé dans des rêveries d'une hauteur spéculative telle qu'il m'arrive souvent, dans cet état, de mouiller mes caleçons !

— C'est bien, répétait doucement Gala. Demain je t'apporterai de l'ambre dissous dans de l'huile d'aspic. Cela vaut une fortune, mais je voudrais que tu t'en serves pour peindre ton nouveau Lénine.

A ma grande déception, la fesse lyrique de Lénine ne scandalisa pas mes amis surréalistes. Cette déception même m'encouragea. Je pouvais donc aller plus loin... tenter l'impossible. Seul Aragon s'indigna de ma machine-à-penser garnie de gobelets de lait chaud.

— Assez des excentricités de Dali ! s'écria-t-il avec colère. Désormais le lait sera pour les enfants des chômeurs.

Breton prit mon parti. Aragon se couvrait de ridicule. Même ma famille aurait ri de mon idée, mais il suivait déjà une idée politique bien arrêtée qui devait le conduire là où il est maintenant, c'est-à-dire à peu près nulle part.

Pendant ce temps-là Hitler hitlérisait, et un jour je peignis une nourrice nazie tricotant assise par mégarde dans une grande flaque d'eau. Devant l'insistance de certains de mes plus intimes amis surréalistes, je dus effacer son brassard à croix gammée. Jamais je n'aurais soupçonné l'émotion que devait déclencher cette croix. J'en fus obsédé au point de fixer mon délire sur la personnalité d'Hitler qui m'apparaissait toujours en femme. Nombre des tableaux que je peignis alors furent détruits lorsque les armées allemandes envahirent la France. J'étais fasciné par le dos tendre et dodu d'Hitler toujours si bien sanglé dans son uniforme. Chaque fois que je commençais à peindre la bretelle de cuir qui, partant de sa ceinture, passait sur son épaule opposée, la mollesse de cette chair hitlérienne comprimée sous la tunique militaire créait en moi un état d'extase gustatif, laiteux, nutritif et wagnérien qui faisait violemment battre mon cœur, émotion très rare que je n'éprouvais même pas en faisant l'amour. La chair dodue d'Hitler que j'imaginais comme la plus divine chair d'une femme à la peau blanchissime me fascinait. Conscient malgré tout du caractère psycho-pathologique d'une telle suite de vertiges, je me répétais avec délices dans le creux de ma propre oreille :

— Cette fois-ci, oui, je crois que je frôle enfin la vraie folie !

Et à Gala :

— Apporte-moi de l'ambre à l'huile d'aspic et les pinceaux les plus fins du monde. Rien ne sera suffisamment précis et bon pour peindre à la manière ultra-rétrograde de Meissonier, le délire super-nutritif, l'extase mystique et charnelle qui s'emparent de moi lorsque j'entreprends de représenter sur ma toile l'empreinte dans la chair d'Hitler de cette bretelle de cuir souple.

J'avais beau me répéter que mon vertige hitlérien était apolitique, que l'œuvre qui naissait autour de l'image féminisée du Führer était d'une équivoque scandaleuse, que ces représentations étaient teintées d'autant d'humour noir que celles de Guillaume Tell ou de Lénine, j'avais beau répéter tout cela à mes amis, rien n'y faisait. Cette nouvelle crise que traversait ma peinture devenait de plus en plus suspecte parmi les surréalistes. Les choses s'aggravèrent lorsque la nouvelle se répandit qu'Hitler aurait aimé dans certains de mes tableaux tout ce que j'avais mis de cygnes, de solitude, de mégalomanie, de wagnérisme et de jérôme-boschisme.

Avec mon esprit de contradiction congénital, cela ne pouvait que s'aggraver. Je demandai à Breton de convoquer d'urgence notre groupe en séance extraordinaire pour discuter de la mystique hitlérienne du point de vue de l'irrationnel nietzschéen et anticatholique. J'espérais que l'aspect anticatholique de la discussion séduirait Breton. De plus je considérais Hitler comme un masochiste intégral possédé par l'idée fixe de déclencher une guerre pour la perdre ensuite héroïquement. En somme il s'apprêtait à faire un de ces actes gratuits très appréciés alors par notre groupe. Mon insistance à envisager la mystique hitlérienne du point de vue surréaliste, de même que mon insistance à donner un sens religieux au contenu sadique du surréalisme, l'une et l'autre aggravées par les développements de ma méthode d'analyse paranoïa-critique qui tendait à ruiner l'automatisme et son narcissisme inhérent, aboutirent à une série de ruptures et de brouilles intermittentes avec Breton et ses amis. Ces derniers commençaient d'ailleurs — d'une façon alarmante pour le chef du groupe — à hésiter entre lui et moi.

Je peignis un tableau prophétique de la mort du Führer. Il fut intitulé : *L'Énigme d'Hitler*, ce qui me valut une excommunication par les nazis et les bravos des antinazis, bien que ce tableau — comme d'ailleurs toute mon

œuvre et cela je le proclamerai jusqu'à la fin de mes jours
— fût dénué de toute signification politique consciente. Au
moment où j'écris ces lignes, j'avoue ne pas avoir encore
déchiffré moi-même cette fameuse énigme.

Le groupe surréaliste fut convoqué un soir pour juger de
mon prétendu hitlérisme. Cette séance, dont j'ai malheureusement oublié la plupart des détails, fut extraordinaire.
Mais si un jour Breton désire me revoir, j'aimerais qu'il me
fasse connaître le procès-verbal que l'on a dû rédiger après
la réunion. Au moment où l'on allait m'expulser du groupe
surréaliste, je souffrais d'un début d'angine. Comme toujours tremblant lâchement dès que je me sens malade, je
comparus avec un thermomètre dans la bouche. Je crois
avoir pris ma température au moins quatre fois pendant
mon procès qui dura très avant dans la nuit, car lorsque je
revins chez moi, l'aube pointait sur Paris.

Au cours de mon plaidoyer *pro domo*, je m'agenouillai à
plusieurs reprises, non pour supplier que l'on ne m'expul-
sât pas, comme il a été faussement dit, mais bien au
contraire pour exhorter Breton à comprendre que mon
obsession hitlérienne était strictement paranoïaque et
apolitique par essence. Je leur expliquai également que je
ne pouvais être nazi, car si Hitler conquérait l'Europe, il
en profiterait pour faire passer de vie à trépas tous les
hystériques de mon espèce comme on l'avait déjà fait en
Allemagne en les traitant de dégénérés. Enfin le rôle féminin et irrésistiblement loufoque que j'attribuais à la personnalité d'Hitler aurait suffi à me faire qualifier d'icono-
claste par les nazis. De même que mon fanatisme exacerbé
par Freud et Einstein, l'un et l'autre chassés d'Allemagne
par Hitler, montrait bien que ce dernier ne m'intéressait
qu'en tant qu'objet de mon délire et parce qu'il m'apparaissait d'une valeur catastrophique incomparable.

On fut enfin convaincu de mon innocence, mais je dus
quand même signer un document dans lequel, entre autres
choses, je déclarais n'être pas l'ennemi du prolétariat. Je

signai cela de très bon cœur, car je n'ai jamais eu de sentiments particuliers ni « pour », ni surtout « contre » le prolétariat.

La vérité, une et indivisible, éclatait au grand jour : on ne pouvait pas être un surréaliste intégral dans le groupe qui n'était guidé que par des mobiles politiques de partisans, et cela dans tous les domaines que ce fût autour de Breton ou d'Aragon.

Quelqu'un comme moi qui prétendais être un vrai fou, vivant et organisé, d'une précision pythagoricienne dans le sens le plus nietzschéen du mot, ne pouvait exister. Arriva ce qui devait arriver : Dali, surréaliste intégral, postulant une absolue absence de contrainte esthétique ou morale, animé de la « volonté de puissance nietzschéenne », affirma que toute expérience pouvait être portée à ses limites extrêmes, sans solution de continuité. Je réclamais le droit de faire pousser à Lénine des fesses de trois mètres, de panacher son portrait de gélatines hitlériennes même truffées, le cas échéant, de catholicisme romain. Chacun était libre de devenir ou de laisser un tiers être : pédéraste, coprophage, vertueux ou ascétique dans les transports de ses troubles digestifs ou phosphénomatiques. Le pervers polymorphe que j'avais été pendant mon adolescence atteignit un zénith hystérique : mes mâchoires triturèrent Gala, je tombai amoureux des ânes pourris les plus transcendantalement ammoniacaux. Les odeurs des corps humains devinrent naturellement, pour moi, liturgiques. Les sentiments humanitaires empêchèrent l'éclosion des puanteurs et des extases anales (sans anus), propres ou sèches, de même que les recroquevillements viscéraux doubles, triples ou quadruples ficelés n'importe comment. Au-dessus de tout se levèrent les immenses visages exténués et hydropiques des glorieux et grands Masturbateurs affublés de leurs sauterelles aux faces de communistes, aux ventres napoléoniens, aux cuisses hitlériennes féminisées qui s'agrippaient à ma bouche. Et tout cela ne faisait que commencer !

Mais Breton dit « non » à Dali ! Et il avait au fond un peu raison, car dans ce conglomérat il voulait au moins pouvoir choisir le mal ou le bien, le mal et le bien... Pourtant il se trompait aussi un peu, car, même en gardant la liberté du choix, il fallait se complaire dans cet assortiment dalinien aussi truculent que succulent. S'il n'avait pas entièrement raison, c'est que Dali en rationaliste absolu voulait tout connaître de l'irrationnel, non pour en tirer un nouveau répertoire littéraire et humain, mais au contraire pour réduire et soumettre cet irrationnel dont il faisait la conquête. Le cyclotron des mâchoires philosophiques de Dali avait faim de tout triturer, broyer et bombarder avec l'artillerie de ses neutrons intra-atomiques, pour que l'ignoble conglomérat viscéral et ammoniacal de biologie auquel on avait accès par le rêve surréaliste, fût transformé en énergie mystique pure. Une fois ce grouillement en putréfaction totalement et définitivement spiritualisé, la mission et la raison d'être de l'homme sur terre seraient accomplies et tout serait trésor.

C'est le moment que choisit la sirène de Kierkegaard pour chanter comme un petit rossignol puant. Et tous les rats d'égout existentialistes, qui forniquaient dans les caves pendant l'occupation, crachèrent et crièrent leur dégoût des débris du festin surréaliste que nous avions laissé refroidir en eux comme dans des poubelles. Tout était excellemment ignoble, et l'homme lui-même était de trop !

Non ! leur cria Dali. Pas avant que tout ait été rationalisé. Pas avant que chacune de nos terreurs libidineuses ait été ennoblie et sublimée par la beauté suprême de la mort, en suivant le chemin qui conduit à la perfection spirituelle et à l'ascétisme. Cette mission, seul un Espagnol pouvait l'accomplir parmi les découvertes les plus laides et les plus démoniaques de tous les temps. Il s'agissait en fait de mettre cela au propre, d'en inventer la géométrie métaphysique.

Il fallut se tourner vers la dignité oxyde d'argent et vert olive de Vélasquez et de Zurbarán, vers le réalisme et le mysticisme que nous découvrions semblables et consubstantiels. Il fallut intégrer la réalité transcendante à un fragment quelconque et fortuit de la réalité pure, tel que l'a réalisé l'impérialisme visuel absolu de Vélasquez. Mais cela présuppose déjà la présence incontestée de Dieu qui est la seule réalité suprême !

Cette tentative dalinienne de rationalisation fut essayée timidement et peu consciemment dans la revue *Le Minotaure*. Picasso avait demandé à l'éditeur Skira que j'illustre les *Chants de Maldoror*. Un jour Gala organisa un déjeuner avec Skira et Breton. Elle obtint la direction de la revue et *Le Minotaure* naquit sous ces auspices incertains. Aujourd'hui, sur un autre plan, le plus tenace essai de rationalisation nous est, je crois, fourni par les très belles éditions des *Études carmélitaines* dirigées par le Père Bruno que j'admire tant. Ne parlons pas de l'héritage malheureux du *Minotaure* qui broute maintenant dans les pâturages matérialistes de *Verve*.

J'allai hypocritement encore, deux fois de suite, m'entretenir avec Breton de ma future religion. Il ne comprenait pas. Je cessai d'insister. Nos rapports s'espacèrent. Lorsque Breton débarqua à New York en 1940, je lui téléphonai le jour même de son arrivée pour lui souhaiter la bienvenue et demander un rendez-vous qu'il m'accorda pour le lendemain. Je lui avais annoncé une nouvelle plate-forme idéologique pour nos idées. Nous allions lancer un grand mouvement mystique destiné en quelque sorte à rehausser notre expérience surréaliste et à la détourner définitivement du matérialisme dialectique ! Mais le même soir j'appris par des amis que Breton venait encore de me calomnier, de me traiter d'hitlérien. C'était trop faux et trop dangereux à cette époque-là, pour que j'accepte de le revoir. Nous ne nous sommes pas rencontrés depuis.

Néanmoins grâce aux années écoulées et à mon intuition innée de véritable détecteur d'uranium, je sens Breton plus proche de moi. Son activité intellectuelle, malgré les apparences, a une valeur que n'a pas celle des existentialistes aux succès théâtraux et épisodiques.

Depuis le jour où je ne me rendis pas au rendez-vous fixé par Breton, le surréalisme tel que nous l'avions défini est mort. Lorsque le lendemain, un grand journal me demanda la définition du surréalisme, je répondis : « Le surréalisme, c'est moi ! » Et je le crois, car je suis le seul à le continuer. Je n'ai rien renié et, au contraire, j'ai tout réaffirmé, sublimé, hiérarchisé, rationalisé, dématérialisé, spiritualisé. Mon mysticisme nucléaire présent n'est que le fruit, inspiré par le Saint-Esprit, des expériences démoniaques et surréalistes du début de ma vie.

Méticuleusement Breton composa une anagramme vengeresse avec ce nom admirable qui est le mien. Il en fit « Avida Dollars ». Ce n'était peut-être pas une réussite de grand poète, néanmoins dans ma biographie je dois reconnaître que cela correspondit assez bien à mes ambitions immédiates d'alors. En effet, Hitler venait de mourir d'une manière toute wagnérienne dans les bras d'Eva Braun à Berlin. Dès que j'appris cette nouvelle, je réfléchis dix-sept minutes[1] avant de prendre une décision irrévocable : Salvador Dali allait devenir la plus grande courtisane de son époque. Et je le devins. Ainsi en est-il de tout ce que je me propose de réaliser avec une rage paranoïaque.

Après la mort d'Hitler, une nouvelle ère mystique et religieuse s'apprêtait à dévorer toutes les idéologies. En attendant, j'avais une mission. L'art moderne résidu poussiéreux du matérialisme hérité de la Révolution française se dresserait contre moi pendant au moins dix ans. Or, il

---

1. A cet instant-là, il prenait sa température. Gala lui dit : « Deux minutes suffisent. » — « Pour être plus sûr, répondit-il, je garderai le thermomètre quinze minutes encore. »

me fallait peindre *bien*, chose qui n'intéresserait strictement personne. Pourtant il était indispensable de peindre
bien, car mon mysticisme nucléaire ne pourrait triompher,
le jour dit, que s'il s'incarnait dans la plus suprême beauté.

Je savais que l'art des abstraits — de ceux qui ne croient
à rien et par conséquent ne peignent *rien* — servirait de
piédestal glorieux à un Salvador Dali isolé dans notre
époque abjecte de décorativisme matérialiste et d'existentialisme amateur. Tout cela était certain. Mais pour tenir
le coup, il faudrait être plus fort que jamais, avoir de
l'argent, faire de l'or, vite et bien, pour pouvoir durer. De
l'argent et de la santé ! J'arrêtai totalement de boire et me
soignai jusqu'au paroxysme. En même temps j'astiquais
Gala pour la faire briller, la rendant la plus heureuse
possible, la soignant mieux encore que moi-même, car
sans elle tout aurait été fini. L'argent servirait à faire tout
ce que nous désirions du côté de la beauté et de la bonté.
Mon « avida dollars » n'était pas plus malin que cela. La
preuve en est en train de se faire aujourd'hui...

Ce qui me plaît le plus de toute la pensée d'Auguste
Comte c'est le moment précis où avant de fonder sa nouvelle « religion positiviste », il place au sommet de sa hiérarchie les banquiers auxquels il accorde une importance
capitale. Peut-être est-ce là le côté phénicien de mon sang
Ampurdan, mais j'ai toujours été ébloui par l'or sous quelque forme qu'il se présente. Ayant dès mon adolescence
appris que Miguel de Cervantès après avoir écrit pour la
plus grande gloire de l'Espagne son immortel *Don Quichotte* mourut dans la misère noire, que Christophe
Colomb après avoir découvert le Nouveau Monde était
mort aussi dans les mêmes conditions et de plus en prison,
dès mon adolescence dis-je, ma prudence me conseilla
fortement deux choses :

1° De faire ma prison le plus tôt possible. Et ce fut fait.

2° De devenir autant que possible légèrement multi-
millionnaire. Et cela aussi est fait.

La façon la plus simple de refuser toute concession à l'or, c'est d'en avoir soi-même. Avec de l'or, il devient tout à fait inutile de « s'engager ». Un héros ne s'engage nulle part ! Il est tout le contraire du domestique. Comme l'a dit très justement le philosophe catalan Francesco Pujols : « La plus grande aspiration de l'homme sur le plan social est la liberté sacrée de vivre sans avoir besoin de travailler. » Dali complète cet aphorisme en ajoutant que cette liberté conditionne à son tour l'héroïsme humain. Aurifier tout est la seule façon de spiritualiser la matière.

Je suis le fils de Guillaume Tell qui a transformé en or massif la pomme de « cannibalistique » ambivalence que ses pères, André Breton et Pablo Picasso, avaient placée successivement en équilibre dangereux sur sa tête. Cette tête si fragile et si aimée de Salvador Dali ! Oui, je crois que je suis le sauveur de l'art moderne, le seul capable de sublimer, d'intégrer, et de rationaliser impérialement et en beauté, toutes les expériences révolutionnaires des temps modernes, dans la grande tradition classique du réalisme et du mysticisme qui sont la mission suprême et glorieuse de l'Espagne.

Le rôle de mon pays est essentiel dans le grand mouvement de « mystique nucléaire » qui doit marquer notre temps. L'Amérique grâce aux progrès inouïs de sa technique fournira les preuves empiriques (disons même photographiques ou microphotographiques) de ce nouveau mysticisme.

Le génie du peuple juif lui donnera involontairement, grâce à Freud et à Einstein, ses possibilités dynamiques et anti-esthétiques. La France aura essentiellement un rôle didactique. Elle rédigera probablement l'acte constitutif du « mysticisme nucléaire » grâce aux prouesses de son intelligence, mais encore une fois ce sera la mission de l'Espagne d'ennoblir tout par la foi religieuse et la beauté.

L'anagramme « avida dollars » fut un talisman pour moi. Elle rendit fluide, douce et monotone la pluie des dollars. Un jour je raconterai toute la vérité sur la façon de ramasser ce dérèglement béni de Danaé. Ce sera un chapitre d'un nouveau livre, probablement mon chef-d'œuvre : « De la vie de Salvador Dali considérée comme une œuvre d'art. »

En attendant, je veux noter une anecdote : rentrant un soir de grande réussite dans mon appartement de l'hôtel San Regis à New York, j'entendis après avoir payé mon taxi un bruit métallique dans mes souliers. Je me déchaussai et trouvai dans chacun d'eux une pièce d'un demi-dollar.

Gala, qui venait de se réveiller, me cria de sa chambre :

— Petit Dali ! j'étais en train de rêver que par la porte entrouverte, je t'apercevais avec d'autres hommes. Vous pesiez de l'or !

Je me signai dans l'obscurité et murmurai noblement :

— Ainsi soit-il !

Puis j'embrassai

mon talatiew,
    mon trésor,
        mon pesant d'or !

JUIN

Port Lligat, le 20

Les enfants ne m'ont jamais particulièrement intéressé, mais la chose qui m'intéresse encore le moins, ce sont les tableaux d'enfants. Lui, l'enfant-peintre sait que cela est mal peint, et lui l'enfant-critique, il sait aussi qu'il sait que c'est mal peint. Alors l'enfant peintre-critique, qui sait qu'il sait que c'est mal peint, n'a plus qu'une ressource : dire que c'est très bien peint.

le 29

Grâce à Dieu, en cette période de ma vie, je *dors* et je *peins* encore mieux et avec plus de satisfaction que d'habitude. C'est ainsi que je dois songer à éviter les gerçures qui semblent naître à chaque coin de mes lèvres, conséquence physique inéluctable de la salive accumulée par le plaisir que me procurent ces deux divins abandons : dormir et peindre. Oui, en dormant et en peignant, je bave de plaisir. Certes, d'un geste rapide ou paresseux du revers de la main, je pourrais m'essuyer lors d'un de mes paradisiaques réveils ou lors d'une de mes non moins paradisiaques interruptions de travail, mais je suis si entièrement adonné à mes délices vitales et intellectuelles que je ne le fais pas ! Voilà un problème moral que je n'ai pas résolu. Faut-il laisser s'aggraver les gerçures de satisfaction, ou faut-il se forcer à essuyer la salive à temps ? En attendant la solution, j'ai inventé une nouvelle méthode somnifère, méthode qui doit figurer un jour dans l'anthologie de mes inventions. En général, les gens prennent des soporifiques lorsqu'ils ont du mal à dormir. Moi, je fais absolument le contraire. C'est dans les périodes où mon sommeil atteint son maximum de régularité et son paroxysme végétal, que je décide de prendre avec une certaine coquetterie, une pilule soporifique. Alors, véritablement et sans l'ombre d'une métaphore, je peux dormir comme un tronc, me réveillant intégralement rajeuni, l'intelligence brillant d'une nouvelle sève qui n'arrêtera plus de couler jusqu'à l'éclosion des idées les plus tendrissimes. Cela m'est arrivé précisément ce matin car, hier soir, j'ai pris une pilule pour faire déborder la coupe de mon équilibre actuel. Et quel réveil, à 11 heures et demie, sur ma terrasse où j'ai pris mon café au lait et mon miel au soleil, sous un ciel sans nuage et sans être incommodé par la moindre érection !

J'ai fait la sieste de 2 heures et demie à 5 heures, la pilule de la nuit précédente continuant à faire déborder la coupe et aussi ma salive, car en ouvrant les yeux je me suis aperçu par mon oreiller mouillé que j'avais dû baver copieusement :

— Mais non ! me suis-je néanmoins dit, ce n'est pas encore aujourd'hui que tu vas commencer à t'essuyer, c'est dimanche ! Et à plus forte raison, si tu décides que cette gerçure commençante doit être la dernière. Il faut au contraire qu'elle devienne importante afin que tu puisses en savourer l'erreur biologique et en noter, sur le vif, toutes les incidences.

A 5 heures donc, on m'a réveillé. Le maître-maçon Prignau était arrivé. Je lui avais demandé de venir m'aider à tracer les cotes géométriques de mon tableau. Nous nous sommes enfermés dans l'atelier jusqu'à 8 heures, moi assis et donnant des ordres :

— Faites encore un nouvel octaèdre, mais plus penché, maintenant un autre concentrique, etc.

Et lui, diligent, agile comme un élève florentin prosaïque, réalisait tout presque aussi vite que ma pensée. Il s'est trompé trois fois dans ses calculs et chaque fois, après un long examen, j'ai poussé trois stridents Kikirikis qui l'ont, je crois, un peu inquiété. Kikiriki est le cri par lequel j'extériorise mes grandes intensités. Les trois erreurs s'avéraient sublimes. Elles réalisaient instantanément tout ce que mon cerveau était laborieusement en train de chercher. Quand Prignau m'a quitté, je suis resté dans la pénombre, rêvassant. Après quoi, j'ai écrit au fusain sur le bord de ma toile, ces mots que je transcris dans mon journal. Les transcrivant, je les trouve encore meilleurs :

« Les erreurs ont presque toujours un caractère sacré. N'essaye jamais de les corriger. Au contraire : rationalise-les, comprends-les intégralement. Après quoi, il te sera possible de les sublimer. Les préoccupations géométriques tendent vers l'utopie et sont défavorables à l'érection. D'ailleurs les géomètres bandent peu. »

le 30

Jour destiné encore et surtout à baver et à saliver. J'ai fini mon petit déjeuner à 6 heures du matin, et comme je me sentais assez d'impatience pour commencer le grand ciel de mon Assomption, je me suis imposé auparavant la contrainte de peindre, méticuleusement, une seule écaille mais la plus brillante, la plus argentée possible d'un poisson volant pêché hier. Je ne me suis arrêté qu'au moment où j'ai réellement vu l'écaille briller comme si l'habitait la propre lumière de la pointe de mon pinceau. C'est ainsi que Gustave Moreau voulait voir l'or surgir à la pointe du sien.

Cet exercice est particulièrement propre à me faire baver et j'ai senti la gerçure qui s'enflammait sur mes lèvres et me piquait, brillant et s'allumant à l'unisson de l'écaille qui me sert de modèle. L'après-midi, j'ai peint le ciel jusqu'au crépuscule, et c'est toujours le ciel qui me fait le plus baver. La gerçure me procure une sensation de cuisson ardente. On dirait qu'un ver mythologique me ronge la commissure des lèvres ce qui me fait penser à l'une des figures allégoriques du Printemps de Botticelli aux fascinantes et obscures végétations. Les mêmes végétations poussent et fermentent avec ma gerçure sur le rythme d'une cantate de Bach que j'ai aussitôt fait jouer très fort sur mon phonographe.

Juan, mon modèle de dix ans, est monté pour que j'aille avec lui jouer au football sur le quai. Pour m'enjôler, il a pris un pinceau et a dirigé la fin de la cantate avec les gestes les plus angéliques que j'aie jamais vus de ma vie. Je suis descendu sur le quai avec Juan. Le jour finissait. Gala, un peu mélancolique, mais plus brunie, plus belle et mieux décoiffée que je l'ai jamais vue, a soudain découvert un ver luisant qui brillait comme mon écaille du matin.

Cette découverte m'a rappelé la première composition littéraire de ma vie. J'avais sept ans et mon récit était le suivant : Un enfant se promène avec sa mère une nuit de fin juin. Il pleut des étoiles filantes. L'enfant en ramasse une et l'emporte dans le creux de sa main. Arrivé chez lui il la pose sur sa table de nuit et l'emprisonne dans un verre renversé. Le matin, au réveil, il pousse un cri d'horreur : un ver a, pendant la nuit, rongé son étoile !

Mon père — que Dieu l'ait en sa sainte garde ! — avait été bouleversé par ce conte que, depuis lors, il se plut toujours à considérer comme très supérieur à celui du *Prince heureux* d'Oscar Wilde.

Ce soir, je vais m'endormir en pleine continuité dalinienne, sous mon grand ciel de l'Assomption peint sous
l'écaille brillante de mon poisson pourri... ma gerçure.

Je dois noter que tout cela coïncide avec le tour de
France cycliste dont j'écoute à la radio tous les incidents
racontés pour Georges Briquet. Le maillot jaune, Bobet,
s'est foulé le genou, la chaleur est torride. Je voudrais que
toute la France soit montée sur des bicyclettes, que le
monde entier pédale en ruisselant de sueur, grimpant
comme des fous impuissants des côtes inaccessibles pendant que le divin Dali peint dans le calme sybaritique de
Port Lligat les terreurs les plus délicieuses. Oui et oui, le
tour de France cycliste me procure une satisfaction si
continue que ma salive coule à flots imperceptibles mais
tenaces pour entretenir, congestionnée et croûteuse, à la
commissure de mes lèvres, l'irritation crétinisante, chrétienne, stigmatisante de la gerçure de mon plaisir spirituel !

JUILLET

En juillet, ni femme ni escargot[1].

Réveillé à 6 heures, mon premier geste est de toucher ma gerçure avec la pointe de ma langue. Elle a séché dans le cours de la nuit qui a été exceptionnellement chaleureuse et voluptueuse. Je suis d'ailleurs étonné qu'elle sèche si vite et qu'au contact de ma langue elle semble un corps dur qui va se détacher comme une croûte. Je me dis : « On va s'amuser. » Je ne la détacherai pas tout de suite, ce serait gaspiller imprudemment les délices d'une laborieuse et patiente journée de travail pendant laquelle je jouerai avec ma gerçure sèche. Il devait, d'ailleurs, m'arriver pendant cette journée un des événements les plus angoissants de ma vie puisque je devins POISSON ! Cela vaut la peine d'être raconté.

Après m'être imposé près d'un quart d'heure, comme le matin précédent, de faire briller sur mon tableau quelques écailles fulgurantes de mon poisson volant, je dus m'interrompre à cause d'un essaim de grosses mouches (certaines étaient mordorées) que l'odeur fétide du cadavre avait

1. Dali ne sait pas encore pourquoi, mais, tous les ans, à cette époque, il envoie à Picasso une carte postale lui rappelant ce proverbe.

attirées. Ces mouches voletaient de la pourriture jusqu'à mon visage et mes mains, m'obligeant à redoubler d'attention et d'habileté, car en plus de la difficulté même de mon travail, il fallait rester insensible à leurs picotements, continuant, imperturbable, à fignoler mon trait, contournant sans sourciller une écaille où, justement, une mouche prise de frénésie se collait, me la masquant, tandis que trois autres mouches s'agglutinaient sur le modèle. Il me fallait profiter des moindres changements de position de ces mouches pour continuer mes observations et tout cela sans parler encore d'une autre mouche qui aimait avec insistance se poser sur ma gerçure. Je ne pouvais la chasser qu'en remuant à courts intervalles les commissures de mes lèvres, en me livrant à un rictus violent mais suffisamment mélodieux pour ne pas créer d'interférence avec les coups de pinceau appliqués en retenant mon souffle. Parfois même, il m'arrivait de la retenir et de ne la libérer qu'après l'avoir sentie se débattre sur ma gerçure.

Pourtant, ce n'était pas ce prodigieux martyre qui m'a décidé à m'arrêter, car, au contraire, le problème surhumain de peindre ainsi dévoré par les mouches me fascinait et me portait à réaliser des prodiges d'adresse que je n'aurais pas atteints sans les mouches, non ! ce qui m'a décidé c'est l'odeur du poisson si fétide qu'elle allait me faire vomir mon petit déjeuner. J'ai donc fait emporter mon modèle et j'ai commencé à peindre mon Christ, mais aussitôt toutes les mouches jusqu'alors réparties entre le poisson et moi se sont rassemblées exclusivement sur ma peau. J'étais entièrement nu et mon corps avait été aspergé par le liquide d'une bouteille de fixatif qui s'était renversée. Je suppose que c'est ce liquide qui les attirait car, de moi-même, je suis plutôt propre. Couvert de mouches, j'ai continué de peindre de mieux en mieux, défendant la gerçure avec ma langue et mon souffle. Avec ma langue, je soulevais et ramollissais sa pellicule extérieure qui semblait prête à se décoller. Avec mon souffle, je la séchais, accordant mes expirations au rythme de mes coups de pinceau. Elle était très dessiquée et l'intervention de la langue n'aurait pas suffi à en détacher une fine lamelle, si je ne m'étais aidé d'une grimace convulsive (esquissée chaque fois que je prenais de la couleur sur ma palette). Or, cette fine lamelle avait exactement la qualité d'une écaille de poisson ! En répétant l'opération à l'infini, je pouvais détacher de moi des quantités d'écailles de poisson. Ma gerçure était un véritable chantier d'écailles semblables à du mica. Dès qu'on en enlevait une, une nouvelle naissait au coin des lèvres.

J'ai craché la première écaille sur mon genou. Chance inouïe, j'ai eu l'impression ultra-sensible qu'elle me piquait, qu'elle se collait à ma chair. Du coup, je me suis arrêté de peindre et j'ai fermé les yeux. Il m'a fallu toute ma volonté pour rester immobile tant mon visage était couvert de mouches activissimes. Angoissé, mon cœur s'est mis à battre à toute allure et j'ai compris soudain que je m'identifiais à mon poisson pourri dont je me sentais acquérir déjà toute la raideur.

— O mon Dieu, je deviens poisson ! ! ! m'écriai-je.

Des preuves de la vraisemblance de cette idée s'imposèrent subitement. L'écaille de la gerçure me brûlait le genou et se multipliait. Je sentis mes cuisses l'une après l'autre, puis mon ventre se couvrir d'écailles. Je voulus goûter à fond ce prodige et continuai de garder les yeux fermés pendant près d'un quart d'heure.

— Maintenant, me suis-je dit, incrédule encore, je vais ouvrir les yeux et je me verrai converti en poisson.

Je ruisselais de sueur et la tiédeur du soleil couchant inondait mon corps. Enfin, je dessillai mes paupières...

Hou ! J'étais recouvert d'écailles fulgurantes !

Mais aussitôt j'en devinai l'origine : ce n'était que les éclaboussures séchées de mon fixatif cristallisé. Ce fut le moment choisi par la bonne pour entrer. Elle m'apportait le goûter : du pain grillé trempé dans l'huile d'olive. En m'apercevant, elle résuma la situation :

— Vous êtes mouillé comme un poisson ! Et puis je n̲e̲
comprends pas comment vous pouvez peindre ainsi crucifié par les mouches !

Je restai seul et rêveur jusqu'au crépuscule.

O Salvador, ta métamorphose en poisson, symbole du
christianisme, n'a été grâce au supplice des mouches que
la façon typiquement dalinienne et loufoque de t'identifier
à ton Christ pendant que tu le peignais !

Avec la pointe de ma langue exacerbée par le travail de
toute la journée, je viens enfin de faire sauter toute la
gerçure et plus seulement l'une de ses finissimes écailles
Et en écrivant d'une main, je prends de l'autre, avec d'infinies précautions, la gerçure entre le pouce et l'index. Elle
est molle mais si je la pliais, elle se casserait. Je l'approche
de mon nez pour la sentir. Elle est sans odeur. Rêveur, je
la laisse un instant entre mon nez et ma lèvre supérieure
relevée en une grimace qui résume exactement mon attitude affolée d'exhaustion. Un épuisement béatifique
s'empare de tous mes membres...

Je me suis écarté de la table. La gerçure allait tomber. Je
l'ai recueillie dans une assiette, sur mes genoux. Mais cela
n'a occasionné aucun changement dans ma prostration et
j'ai continué de grimacer de la bouche comme si je devais
rester figé ainsi toute l'éternité. Heureusement, l'émotion
de retrouver ma gerçure m'a sorti de mon insurmontable
torpeur. Pris de panique, je l'ai cherchée dans l'assiette où
elle n'était plus qu'une tache brune de plus parmi les
innombrables croûtes de pain brûlé. J'ai cru la retrouver et
l'ai prise entre les deux doigts pour finir de jouer avec elle.
Mais un doute affreux m'a envahi : je n'étais plus certain
que ce fût ma gerçure. Un grand désir de réflexion s'est
emparé de moi. Il y avait là une énigme semblable à celle
des autres écailles sorties du nez. Puisque la dimension,
l'effet et l'absence d'odeur sont les mêmes, qu'importe que
ce soit ou non la vraie gerçure ? Cette comparaison
m'enrage car elle signifierait tout simplement que ce

: peins dans mon supplice de mouches

racte ma bouche au paroxysme ce qui
a volonté de puissance, une saignée de
longue goutte rouge ovale coule jusque
dans ma ~~bouche.~~

Oui, c'est à la manière espagnole que je signe toujours mes loufoqueries ! Avec du sang, comme Nietzsche le voulait !

le 3

Comme d'habitude, un quart d'heure après le petit déjeuner, je glisse une fleur de jasmin derrière mon oreille et je vais au privé. A peine suis-je assis que je fais une selle presque sans odeur. Et cela, à un tel point que le papier hygiénique parfumé et mon brin de jasmin dominent complètement la situation. Cet événement aurait pu être prédit par les rêves béatifiants et extrêmement plaisants de la nuit qui, chez moi, annoncent des défécations suaves et inodores. La selle d'aujourd'hui est, de toutes, la plus pure, si cet adjectif est toutefois propre à être employé dans une telle occasion. Je l'attribue sans conteste à mon ascétisme quasi absolu et me souviens avec répugnance et presque horreur de mes selles à l'époque de mes débauches madrilènes avec Lorca et Buñuel quand j'avais vingt et un ans. C'était de l'innommable ignominie pestilentielle, discontinue, spasmodique, éclaboussante, consulsive, infernale, dithyrambique, existentialiste, cuisante et sanguinolente comparée à aujourd'hui. Cette continuité quasi fluide m'a fait penser toute la journée au miel des industrieuses abeilles.

J'ai eu une tante qui avait horreur de toute scatologie. La seule idée qu'elle aurait pu lâcher un pet lui remplissait les yeux de larmes. Elle mettait tout son honneur dans le fait que, jamais de sa vie, elle n'avait pété. Ceci m'apparaît aujourd'hui une supercherie moins impressionnante qu'autrefois. En effet, dans mes périodes d'ascétisme et de vie spirituelle intense je dois constater que je ne pète presque pas. L'affirmation, souvent reprise dans les vieux textes, que les saints anachorètes ne produisent pas d'excréments, me paraît de plus en plus proche de la vérité, surtout si l'on tient compte de l'idée de Philippe, Auréole, Théophraste, Honoré Bombast de Hohenheim[1] qui explique que la bouche n'est pas une bouche, mais un estomac et que, après une très longue mastication sans avaler, si on crache la nourriture, on est quand même nourri. Les anachorètes mâchent et crachent des racines et des sauterelles. C'est la foi et l'impression naïve qu'ils vivent déjà dans l'air du ciel qui leur donnent l'euphorie.

La nécessité d'avaler — je l'ai de longue date 'décrite dans mes études sur le cannibalisme[2] — correspond plutôt qu'à un besoin nutritif à un besoin compulsif d'ordre affectif et moral. On avale pour s'identifier totalement de la façon la plus absolue l'être aimé. Ainsi avalons-nous l'hostie sans la mastiquer. De là l'antagonisme entre mâcher et avaler. Le saint anachorète tend à séparer les deux choses. Pour s'adonner entièrement à son rôle terrestre et ruminant (philosophique en quelque sorte), il voudrait n'avoir recours pour subsister qu'à ses mâchoires réservant ainsi exclusivement l'acte d'avaler à Dieu.

le 4

Ma vie est réglée par une montre de précision. Tout coïncide. A l'heure exacte où j'avais fini de peindre, deux visiteurs se sont présentés avec leurs escortes. L'un est

1. Paracelse, autrement dit (1493-1541).
2. Dali en a parlé effectivement dans *La Vie secrète*, mais l'étude complète reste à paraître en deux ou trois volumes.

l'éditeur dalinien de Barcelone des temps héroïques, L.L. qui m'annonce (comme je pense d'ailleurs à tous ses amis importants) qu'il vient exprès d'Argentine pour me voir, et l'autre est Pla. L..., arrivé le premier, me fait part de ses intentions. Il va publier quatre nouveaux livres de moi ou sur moi en Argentine.

1° Un livre très épais de Ramon Gomez de la Serna pour lequel je lui promets quelque document inédit et sûrement inouï.

2° Ma *Vie resecrète*[1] que je suis en train d'écrire en ce moment.

3° *Les Visages cachés* de la Serna, qu'il vient juste d'acheter à Barcelone.

4° Des dessins énigmatiques de moi pour accompagner les textes littéraires de la Serna.

Ce dernier demande des illustrations de moi. Je décide qu'au contraire c'est lui qui illustrera mon propre livre.

Quant à Pla, dès son arrivée, il répète la phrase de notre dernière visite : « Ces moustaches finiront par percer ! » Grandes effusions entre lui et L. Pour couper court, je raconte que Pla vient d'écrire un article qui saisit avec une extrême acuité mes loufoqueries. Il me répond :

— Raconte-moi encore plus de choses et j'écrirai autant d'articles que tu voudras.

— Tu ferais sur moi un livre comme personne n'est capable d'en faire.

— Je le ferai !

— Et moi je l'édite, crie L. D'ailleurs Ramon est en train d'en finir un sur Dali.

— Mais, dit Pla révolté, Ramon ne connaît même pas Dali personnellement[2].

1. En fait il s'agit du *Journal d'un génie* que Dali commençait à tenir avec régularité.
2. De tous ces projets, un seul prit corps : le livre de photos intitulé *Dali Moustache*, où Dali put commencer à cataloguer chacun de ses poils grâce aux photos d'Halsman.

Ma maison s'était soudain remplie d'amis de Pla. Ses amis sont innombrables et difficiles à décrire. Deux détails les caractérisent : en général ils ont de gros sourcils et ils ont toujours l'air d'avoir été arrachés à la terrasse d'un café où ils étaient installés depuis dix ans.

En raccompagnant Pla, je lui dis :

— Ces moustaches finiront par percer ! Voilà qu'on décide en moins d'une demi-heure de publier cinq livres de moi ou sur moi ! Ma stratégie me vaut d'innombrables écrits sur ma personnalité, et l'important reste que mes moustaches antinietzschéennes se dressent toujours vers le ciel comme les tours de la cathédrale de Burgos. A cause de moi, un jour, on sera bien forcé de s'occuper de mon œuvre. C'est bien plus efficace que d'essayer à tâtons de chercher la personnalité à travers l'œuvre. Moi ce qui m'aurait passionné c'est de tout savoir sur la personne de Raphaël.

le 5

Le jour où le bon poète Loten à qui j'avais rendu tant de services me fit le cadeau gélatineux de ma corne de rhinocéros bien-aimée, j'ai dit à Gala :

— Cette corne me sauvera la vie !

Aujourd'hui cette affirmation commence à se vérifier. Peignant mon Christ, je m'aperçois qu'il est composé de cornes de rhinocéros. Tel un possédé, je peins chaque fragment d'anatomie comme s'il s'agissait d'une corne de rhinocéros. Quand ma corne est parfaite alors — et alors seulement — l'anatomie du Christ est aussi parfaite et divine. Puis remarquant que chaque corne en suppose une autre à l'envers, je me mets à les peindre enchevêtrées. Du coup, tout est devenu encore plus divin, plus parfait. Je suis émerveillé de ma découverte et je tombe à genoux pour en remercier le Christ, et ceci n'est pas métaphorique. Il faut me voir tombant à genoux dans mon atelier, comme un vrai fou.

Depuis toujours, on se met martel en tête pour saisir la forme et la réduire à d'élémentaires volumes géométriques. Le Léonard tendait à fabriquer des œufs qui, d'après Euclide, devaient être la forme la plus parfaite. Ingres préférait des sphères et Cézanne des cubes et des cylindres. Mais seul Dali, par les détours de son hypocrisie portée au paroxysme qui l'avait amené à se laisser obséder exclusivement par le rhinocéros, vient de trouver la vérité. Toutes les surfaces un peu courbes du corps humain ont le même lieu géométrique commun, celui qui se rencontre dans ce cône à la pointe arrondie incurvée vers le ciel ou vers la terre et à l'inspiration angélique d'anéantissement dans une perfection absolue, la corne de rhinocéros !

le 6

Journée d'une chaleur assourdissante. De plus je fais jouer du Bach par mon électrophone au maximum de sa puissance. A croire que ma tête va éclater. Trois fois, je me suis agenouillé pour remercier Dieu, tant le tableau de l'Assomption est en train de monter. Au crépuscule, se lève un chaud vent du Sud et les collines en face sont incendiées. Gala revient de pêcher des langoustes et me fait dire par la bonne de regarder l'incendie qui teinte la mer couleur d'améthyste, puis rouge vif. De la fenêtre, je lui fais signe que je m'en suis aperçu. Gala est assise à la proue de son bateau peint en jaune de Naples. Ce jour est celui où je la trouve la plus belle de ma vie. Sur la plage, les pêcheurs regardent le paysage qui flambe. Je m'agenouille une nouvelle fois pour remercier Dieu que Gala soit un être aussi beau que ceux de Raphaël. Cette beauté, je le jure, est impossible à percevoir et personne n'a pu l'apercevoir aussi vitalement que moi grâce à mes extases préalables devant les cornes de rhinocéros.

le 7

Gala est encore plus belle

Je reçois une invitation pour aller assister au mystère d'Elche[1] le 14 août. La coupole de l'église s'ouvrira mécaniquement et des anges emporteront la Vierge au ciel. Peut-être irons-nous. De New York on me commande un article sur la Dame d'Elche[2]. Tout ce qui est important coïncide : ce petit village avec sa Dame unique et l'unique mystère ascensionniste que l'on voulait leur interdire mais dont le pape vient justement de proclamer le dogme. Pour moi aussi tout coïncide, alourdissant et aggravant le sens de chacune de mes journées. Je reçois en même temps mon texte sur l'Assomption qui paraît dans les *Études Carmélitaines*. Le Père Bruno me dédicace la revue. Je me relis et j'avoue que j'aime énormément ces pages. Pensant au sang de ma gerçure, je me dis :

— Promis et tenu !

L'Assomption est le point culminant de la volonté de puissance féminine nietzschéenne, la super-femme qui monte au ciel par la force virile de ses propres antiprotons !

le 8

Deux messieurs idiots et ingénieurs m'ont rendu visite. Je les avais entendus parler pendant qu'ils descendaient la côte. L'un expliquait à l'autre qu'il adorait les sapins.

1. Elche, dans la province d'Alicante.
2. Buste en grès trouvé au XIXᵉ siècle après des fouilles dans des ruines phéniciennes.

— Port Lligat est trop pelé, disait-il. J'aime le sapin, pas tellement pour l'ombre que je n'utilise jamais. J'aime tout simplement le voir. Un été sans voir un sapin, ce ne serait pas un été pour moi.

Je me dis : « Attends, toi ! Je t'aurai avec tes sapins ! » Je reçois très aimablement ces deux messieurs, me contraignant à une conversation cent pour cent meublée de lieux communs. Ils m'en sont très reconnaissants, mais arrivés à la terrasse où je les reconduis, ils remarquent mon monumental crâne d'éléphant.

— Qu'est-ce que c'est ? demande l'un.

— Un crâne d'éléphant, dis-je. J'aime beaucoup les crânes d'éléphants. Surtout l'été. Il me serait difficile de m'en passer. Je ne conçois pas un été sans crâne d'éléphant.

le 9

Délicieusement rongé par le désir de faire plus beau et extraordinaire. Cette divine insatisfaction est le signe qu'à l'intérieur de mon âme s'effectue une poussée qui me procurera de grandes satisfactions. Au crépuscule, je regarde par la fenêtre Gala qui me paraît encore plus jeune que la veille. Elle arrive dans son bateau tout neuf. Au passage, elle essaye de caresser nos deux cygnes qui se tiennent debout sur une petite barque. Mais l'un s'envole et l'autre se cache sous la proue[1].

le 10

Je reçois une lettre d'Arturo Lopez. D'après lui, je suis l'ami qu'il aime le plus. Il va venir dans son yacht qu'il a redécoré avec des chinoiseries Louis XV et des tables en

1. C'est Dali lui-même qui a apporté ces deux cygnes à Port Lligat et les a parfaitement acclimatés.

porphyre. Nous irons le recevoir à Barcelone et puis nous retournerons à Port Lligat sur son bateau, probablement assis devant les tables en porphyre. Son séjour aura un sens historique car nous devons décider de l'exécution du calice en or émaillé et pierreries destiné au Tempietto du Bramante à Rome. Donc le 2 août, je décrirai sa visite mémorable avec le soin d'un chroniqueur de grand style, ce dont je suis parfaitement capable quand je le veux[1].

le 12

J'ai eu toute la nuit des rêves créatifs. L'un d'eux inventait une très complète collection de couture, capable à elle seule de m'assurer une fortune en tant que couturier pendant tout au moins sept saisons. L'oubli de mon rêve m'a fait perdre ce petit trésor. A peine ai-je essayé de reconstituer deux robes qui habilleront Gala cet hiver à New York. Mais le dernier des rêves de cette nuit était très puissant. Il s'agissait de la méthode pour obtenir une « ascension » photographique. J'utiliserai ce procédé en Amérique. Tout éveillé, je continue de trouver ce rêve aussi excellent que pendant mon sommeil. Voici donc ma recette : vous vous procurez cinq sacs de pois chiches que vous entassez dans un sac plus grand qui les contient tous ; vous laissez tomber les pois d'une hauteur de dix mètres ; avec une lumière électrique suffisamment puissante vous projetez sur la chute des pois chiches une image de la Vierge ; chaque pois chiche séparé de l'autre par de l'espace comme des corpuscules d'atome enregistrera une petite partie de l'image ; ensuite vous projetterez l'image à l'envers ; grâce à l'accélération due à la force de pesanteur, la chute inversée des pois chiches figurera l'effet ascensionnel ; procé-

_____

1. Hélas ! Dali cette fois a promis sans tenir. Son journal du 2 août 1952 est muet. Mais en 1953, nous reverrons Arthur Lopez et sa suite.

dant ainsi vous aurez une image ascensionniste qui répondra aux lois les plus pures de la physique. Il est inutile de dire que pareille expérience est unique en son genre.

Pour raffiner on peut enduire chaque pois chiche d'une matière qui lui donnera la qualité des écrans cinématographiques.

le 13

J'écris aujourd'hui cette lettre à Pla :

Cher Ami

L. est parti en me disant qu'un livre de vous sur moi en Argentine remporterait un énorme succès et qu'il serait traduit en plusieurs langues. Comme je sais que vous écrivez en ce moment beaucoup de livres, je considère que c'est juste le moment d'en écrire un de plus. L'important est de trouver le moyen d'écrire sans y travailler, c'est dire que ce livre doit s'écrire tout seul. J'ai résolu le problème grâce au titre : *L'atome de Dali*. Le prologue est déjà fait avec ma présente lettre dans laquelle nous sommes d'accord pour constater qu'au moins dans la région de l'Ampurdan[1], l'unique atome que l'on est en train de fabriquer est l'atome de Dali, ce qui justifie complètement l'intérêt de l'ouvrage. Ainsi pendant que tous se perdent dans les branches, vous vous concentrerez sur un seul atome dalinien ce qui suffira largement à son étude. Chaque fois que nous nous verrons, je vous donnerai des nouvelles de mon atome, des photos et des documents y ayant rapport. Vous n'aurez donc à créer que l'ambiance ce qui vous sera facile étant donné votre sublime don descriptif. Mon atome est si actif qu'il travaille sans cesse.

---

1. Région de la Costa Brava qui inclut Cadaquès et Port Lligat.

C'est lui, je le répète, qui fera le livre, et pas nous. Et pour un atome — en plus un atome dalinien — un livre vient comme un besoin naturel. Je dirai même qu'il se repose en écrivant un livre. Un livre consacré à quelque chose que je ne peux pas préciser encore d'une façon exacte ne sachant pas de quoi il s'agit. Et moi d'ailleurs, le paroxyste enragé de précisions impérialistes, rien au monde ne me paraît aussi doux, agréable et reposant et même gracieux que l'ironie transcendantale que suppose le principe d'incertitude d'Heisenberg.

Venez déjeuner. On vous fera ce qui plaît ou ce qui convient à votre régime.

Votre

le 14

Je rêve de deux chevaliers. L'un est nu et l'autre aussi. Ils sont prêts à entrer dans deux rues absolument symétriques. Leurs chevaux, la même jambe levée, pénètrent chacun dans sa rue respective, mais l'une est remplie d'une lumière poignante d'objectivité, l'autre est limpide comme dans les épousailles de la Vierge de Raphaël et le lointain est encore plus cristallin. Tout d'un coup une des rues est envahie par un brouillard confus qui s'épaissit progressivement jusqu'à former un gouffre impénétrable comme du plomb. Les chevaliers sont tous deux Dali. L'un est celui de Gala, l'autre est celui qui ne l'aurait pas connue.

le 15

> *Ne t'occupe pas d'être moderne. C'est*
> *l'unique chose aue malheureusement, quoi*
> *que tu fasses, tu ne pourras pas éviter*
> *d'être.*

Salvador Dali.

Je remercie encore Sigmund Freud et proclame plus haut que jamais ses grandes vérités. Moi, Dali, qui suis plongé dans une constante introspection et une analyse méticuleuse de mes moindres pensées, je viens de découvrir soudain que, sans m'en rendre compte, toute ma vie je n'ai peint que des cornes de rhinocéros. A l'âge de dix ans, enfant-sauterelle, j'étais déjà en train de prier à quatre pattes devant une table en corne de rhinocéros. Oui, c'était déjà pour moi un rhinocéros ! Je revois ainsi toutes mes peintures et reste stupéfait de la quantité de rhinocéros que contient mon œuvre. Même mon fameux pain[1] est déjà une corne de rhinocéros, délicatement déposée dans une corbeille. Maintenant, je m'explique mon enthousiasme le jour où Arturo Lopez m'offrit ma fameuse canne en corne de rhinocéros. Elle me procura, dès que j'entrai en sa possession, une illusion totalement irrationnelle. Je m'y suis attaché avec un fétichisme inouï, jusqu'à l'obsession, au point un jour à New York de frapper un coiffeur qui, par mégarde, avait manqué de me la casser en descendant trop vite le fauteuil à bascule sur lequel je l'avais délicatement posée. Furieux, je l'ai frappé brutalement à l'épaule avec ma canne pour le punir, mais aussitôt bien

---

1. Tableau de 1945 ; actuellement propriété de Gala Dali. « Pendant six mois, dit Dali, mon objectif a été de récupérer la technique des anciens, d'arriver à une immobilité de l'objet pré-explosive. C'est le tableau le plus rigoureux au point de vue de la préparation géométrique. »

entendu, je lui ai donné un très bon pourboire afin qu'il ne se fâchât pas.

Rhinocéros, rhinocéros qui es-tu ?

le 16

La tenue est essentielle pour vaincre. Très rares sont les occasions où, dans ma vie, je me suis avili en civil. Je suis toujours habillé en uniforme de Dali. Aujourd'hui, j'ai reçu un jeune homme plutôt vieux qui vient me supplier de lui donner des conseils avant qu'il entreprenne un voyage en Amérique. La question m'intéresse. Aussi je m'habille en Dali et descends le recevoir. Son cas est le suivant : il veut partir pour l'Amérique réussir n'importe quoi, mais réussir. La médiocrité de la vie en Amérique le dépasse. Je lui demande :

— Avez-vous des habitudes ? Aimez-vous bien manger ?

Il me répond goulûment :

— Je peux vivre en mangeant n'importe quoi ! Des haricots secs et du pain tous les jours pendant des années !

— Cela est mauvais ! lui dis-je songeur et prenant un air préoccupé.

Il s'étonne. Je lui explique :

— Pour manger des haricots et du pain tous les jours, cela coûte très cher. Il faut les gagner en travaillant sans arrêt. En revanche, si vous vous habituez à vivre avec du caviar et du champagne, cela ne coûte rien.

Il sourit comme un crétin et croit que je plaisante.

— Je n'ai jamais plaisanté de ma vie, crié-je avec autorité !

Du coup, il m'écoute complètement aplati.

— Le caviar et le champagne sont des choses que vous offrent gratuitement certaines dames très distinguées, merveilleusement parfumées et entourées des plus beaux meubles du monde. Mais pour cela il faut être tout le contraire de vous qui venez voir Dali avec des ongles en deuil, tandis que je vous ai reçu en uniforme. Partez travailler la question des haricots secs. C'est votre question. En plus vous avez la qualité prématurément ridée d'un haricot sec. Quant à la couleur vert épinard de votre chemise, elle est, sans confusion possible, celle qui caractérise les vieillards avant l'âge et les ratés.

le 17

> *Ne craignez pas la perfection. Vous n'y parviendrez jamais !*
>
> Salvador Dali.

Je possède en moi la notion ininterrompue que tout ce qui a trait à ma personne et à ma vie est unique et reste toujours marqué par un caractère exceptionnel, total et truculent. En prenant le petit déjeuner, je vois monter le soleil et m'aperçois que, Port Lligat étant géographiquement la pointe la plus orientale de l'Espagne, je suis chaque matin le premier Espagnol qui touche le soleil. En effet, même à Cadaquès qui est à dix minutes d'ici, le soleil arrive plus tard.

Je réfléchis également aux surnoms pittoresques des pêcheurs de Port Lligat : le marquis ; le ministre ; l'Africain ; il y a même trois Jésus-Christ. Je suis persuadé qu'il est peu d'endroits au monde — et aussi petits — où se rencontrent trois Jésus-Christ !

le 18

Quien madruga, Dios ayuda[1].
Proverbe espagnol.

Bien que mon Assomption avance substantiellement et glorieusement, je reste effrayé de constater que déjà nous sommes le 18 juillet. Le temps passe en volant devant moi chaque jour plus vite, et malgré que je vive de dix minutes en dix minutes les savourant une à une, et transformant les quarts d'heure en batailles gagnées, en prouesses et en faits d'armes spirituels, tous aussi mémorables les uns que les autres, les semaines s'écoulent à travers moi et une rage me prend de m'agripper avec encore plus d'intégralité vitale à chaque fragment de mon temps préciosissime et adoré.

Soudain Rosita arrive avec le petit déjeuner et m'annonce une nouvelle qui me plonge dans une extase joyeuse. Demain sera le 19 juillet et c'est la date à laquelle Monsieur et Madame sont arrivés de Paris l'an dernier. Je pousse un cri hystérique :

— Je ne suis donc pas encore arrivé ! Je ne suis pas arrivé. C'est seulement demain que j'arriverai à Port Lligat. L'année dernière à cette époque je n'avais même pas encore commencé mon Christ ! Et maintenant, avant même d'être arrivé, mon Assomption est presque debout, dressée vers le ciel !

Je cours aussitôt à l'atelier et travaille jusqu'à en être exténué, trichant et profitant de ce que je ne suis pas encore là pour avoir déjà fait le maximum des maxima au moment où j'arriverai. Tout Port Lligat apprend la nouvelle que je ne suis pas encore là et le soir, quand je descends pour souper, le petit Juan crie, tout enjoué :

---

1. Qui se lève tôt, Dieu l'aide.

— M. Dali arrivera demain soir ! M. Dali arrivera demain soir !

Et Gala me regarde avec un air d'amour protecteur que seul Léonard a, jusqu'ici, su peindre et justement le cinquième centenaire de la naissance du Léonard est pour demain.

Malgré tous les stratagèmes pour savourer les derniers instants de mon absence avec une acuité délirante, je suis là, définitivement arrivé à Port Lligat. En plus, quel bonheur !

le 20

Rosita me plonge dans de nouvelles délices temporelles, en me rappelant que, l'an dernier, j'ai commencé le Christ quatre jours après mon arrivée. J'ai poussé un second cri encore plus hystérique que celui d'avant-hier, à un tel point que des pêcheurs pourtant bien éloignés dans leur barque sur la mer sont restés un instant la tête levée, le regard dirigé vers ma maison. Je me croyais déjà entièrement pris dans les griffes du temps et je constate que je peux m'en échapper quatre jours de plus, et je songe que si chaque jour j'apprenais une nouvelle de ce genre, je pourrais remonter à contre-courant le fleuve du temps. Quoi qu'il en soit, je me trouve rajeuni et me sens diablement plus capable de bien terminer mon œuvre, mon Assomption.

le 21

Comment puis-je douter que tout ce qui m'arrive est hautement exceptionnel ? A 5 heures de l'après-midi, j'étais en train d'analyser des figures octogonales tracées par Léonard de Vinci. D'après moi, elles devraient régir royalement le dogme de l'Assomption. Soudain, je lève la tête pour contempler l'une des formes les plus caractéristiques de mon œuvre : un huit géant solennel et ascensionnel. Je venais seulement de m'en rendre compte. A ce moment-là, Rosita m'apporte le courrier. Parmi les lettres, il y en a une du maire de la ville d'Elche qui m'envoie le programme du mystère liturgique, lyrique et même acrobatique qui, pour la première fois depuis Éleusis, aura lieu le 14 août. Sur l'une des photos l'on aperçoit la pomme grenade en or qui descend, ouverte, de la coupole. Elle contient les anges qui devront emporter la Vierge. Aussitôt, je compte : un, deux, trois, quatre, cinq, six, sept et HUIT ! La pomme grenade est octogonale Et le trou au centre de la coupole se comporte plus ou moins comme dans mon tableau. Quand Arturo viendra, je lui proposerai d'aller faire un plein d'amis susceptibles de s'extasier. Nous irons tous ensemble à Elche avec le bateau.

le 22

La Vierge ne monte pas au ciel en priant. Elle y monte par la propre force de ses anti-protons. Le dogme de l'Assomption est un dogme nietzschéen. Au contraire de la sainte faiblesse comme la surnomme par erreur et par propre faiblesse le grand et admiré philosophe Eugenio d'Ors, l'Assomption est le paroxysme de la volonté de puissance de l'éternel féminin que les élèves de Nietzsche prétendirent atteindre. Tandis que le Christ n'est pas le super-homme que l'on croit, la Vierge, elle, est tout à fait la super-femme qui, d'après le rêve des cinq sacs de pois chiches, tombera au ciel. Et ceci indique que la mère de

Dieu reste corps et âme au paradis grâce à son propre poids égal à celui de Dieu le père en personne. Exactement comme Gala aurait dû entrer dans la maison de mon propre père !

le 23

Trois mille crânes d'éléphants !

Un colonel français vient au crépuscule me rendre visite. Quand nous en arrivons à la question du crâne d'éléphant, je lui dis :

— J'en ai déjà cinq !

— Pourquoi tant de crânes d'éléphants ? s'exclame-t-il.

— Il m'en faut trois mille. D'ailleurs, je les aurai ! Un de mes amis, Maharadjah, m'en apportera, je l'espère, une cargaison. Les pêcheurs viendront les débarquer ici même, en face sur le petit môle. Je leur commanderai de les disperser un peu partout dans la géologie planétaire de Port Lligat.

— Ça sera beau, ça sera dantesque, s'écrie mon colonel.

— C'est surtout ce qui sera le plus approprié. On ne peut rien planter dans ce paysage sans l'abîmer. Il ne faut surtout pas de sapins. L'effet serait horrible. Les crânes d'éléphants sont ce qu'il y a de plus adéquat.

le 25

Nous sommes le jour de la saint Jacques, fête de Cadaquès. Ma très petite grand-mère toujours si propre ne manquait jamais quand j'étais enfant de réciter ces vers en une telle occasion :

> Jour de Saint Jacques
> Jour vingt-cinq
> Il y eut une grande fête
> Dans la place des taureaux
> Tous furent mauvais
> Et ce fut une raison
> Pour brûler les couvents.

Ce poème me paraît résumer l'essence de la manière parfaitement inconséquente d'être Espagnol.

Ce soir, nous avions pressenti, grâce au très long et très solennel crépuscule, que nous touchions à une de ces nuits algides et rondes de l'été. D'une tente de camping, non loin de la maison, surgirent automatiquement la série de chansons inévitables, à commencer par « El Solitero de la Cardina ».

Ces chanteurs improvisés me procurent une délectation inattendue et d'une intensité langoureuse et émotive incomparable. Chaque chanson me fait revivre avec une acuité sentimentale et visuelle les étés de mon adolescence où je me livrais moi-même au camping et chantais avec des amis. Vraiment, ces humbles excursionnistes viennent de me procurer des instants merveilleux. Si j'étais tout puissant, j'ordonnerais à leur encontre un châtiment de deux ou cinq coups de bâton ! Car eux ne sont pas comme j'étais moi. Je les sais bêtes, sportifs et bons. A leur âge, j'emportais Nietzsche sous la tente et déjà je mordais mon propre cerveau et celui des autres.

le 26

> *Si vous êtes médiocre, même si vous*
> *vous efforcez de peindre très, très mal, on*
> *verra que vous êtes médiocre.*
>
> Salvador Dali.

Après une exténuante journée de travail je reçois un télégramme qui me confirme que les cent deux illustrations pour la *Divine Comédie* sont arrivées à Rome. L'éditeur Janes m'apporte le livre *Dali Nu*. Nous dînons et buvons un merveilleux champagne que je déguste au paroxysme du plaisir. Ce sont les deux premiers verres de champagne que je bois depuis huit ans.

le 27

Ce matin, défécation exceptionnelle : deux petits excréments en forme de corne de rhinocéros. Une selle si peu abondante me préoccupe. J'aurais cru que le champagne, si peu dans mes habitudes, aurait eu un effet laxatif. Mais moins d'une heure après, je dois retourner aux cabinets où j'ai enfin une selle normale. Mes deux cornes de rhinocéros étaient donc la fin d'un autre processus. Je reviendrai sur cette question d'un intérêt primordial.

le 28

Il a plu toute la journée sur mon crâne d'éléphant et ailleurs aussi. A l'heure de la sieste, doux coup de tonnerre. Quand j'étais petit, on me disait : quelqu'un change les meubles de place à l'étage au-dessus. Aujourd'hui, je pense à l'utilité de protéger la maison avec un paratonnerre. Le soir, dans la cuisine j'aperçois une grande jatte en terre remplie d'escargots. Mes yeux se sont déjà extasiés devant ces délices humides de la journée. Tous ces gris lovés dans des rochers semblent reposer dans une espèce d'amidon plombé, turgescent et soyeux. Les tons colorés éteignent les noirs d'huître, et les blancs de lait font penser à des ventres de perdrix.

le 29

Piet[1] *moins qu'un pet*
plus qu'une puce de génie.

A propos d'un pet très long, vraiment très long et, disons la vérité, mélodieux, que je lâche au réveil, je me suis souvenu de Michel de Montaigne. Cet auteur rapporte que saint Augustin fut un fameux pétomane qui réussissait à jouer des partitions entières[2].

le 30

Grande joie après avoir cru sur un faux renseignement de la bonne que le mois finissait aujourd'hui. J'apprends avant le dîner que demain ne sera encore que le 31. Ceci

1. Peintre abstrait que Dalí s'offre comme tête de Turc depuis de longues années. Voir déjà *Les Cocus du vieil art moderne*, Fasquelle éditeur, et en annexe la table comparative des valeurs après une analyse dalinienne.
2. Dalí se sépare rarement d'un enregistrement précieux : un petit microsillon dont tout le bruitage est l'œuvre d'un club de pétomanes américains, et il relit sans cesse un petit livre précieux, *L'Art de péter* par le comte de la Trompette, dont nous donnons en annexe un long extrait.

veut dire que j'aurai fini de peindre le visage de Gala dans l'Assomption, visage qui sera le plus beau et le plus ressemblant de tous ceux que j'ai faits de ma

rediviva et ascensionniste !

AOÛT

Ce soir, pour la première fois depuis au moins un an, je regarde le ciel étoilé. Je le trouve petit. Est-ce moi qui grandis ou l'univers qui se rétrécit ? Ou les deux choses à la fois ? Quelle différence avec les contemplations sidérales douloureuses de mon adolescence. Elles m'anéantissaient dans ce que mon romantisme me faisait croire alors : les insondables et infinies immensités cosmiques. J'étais possédé par la mélancolie parce que toutes mes émotions étaient indéfinissables. Maintenant, au contraire, mon émotion est si définissable que je pourrais en effectuer le moulage. Et à l'instant même, je décide de m'en commander un en plâtre, représentant avec un maximum d'exactitude l'émotion que me procure la contemplation de la voûte céleste.

Je suis reconnaissant à la physique moderne d'avoir corroboré, par ses recherches, cette notion agréable, sybaritique et anti-romantique entre toutes que « l'espace est fini ». Mon émotion a la forme parfaite d'un continuum à quatre fesses, la tendresse de la chair même de l'Univers. En me couchant éreinté par ma journée de travail, je tâche de conserver jusqu'au lit mon émotion, tout en me rassurant de plus en plus et en me disant que, en fin de compte, l'Univers, — même expansible avec toute la matière qu'il contient, quelque abondante qu'elle puisse paraître — n'est qu'une pure et simple affaire de fèves comptées[1]. Je suis si content de voir enfin réduit le Cosmos à ces raisonnables proportions que je serais capable de me frotter les mains si ce geste abominable n'était pas typiquement antidalinien. Avant de m'endormir, au lieu de me frotter les mains, je les baiserai avec la joie la plus pure, en me répétant que l'Univers, comme toute chose matérielle, a l'air terriblement mesquin et étriqué si on le compare, par exemple, à l'ampleur d'un front peint par Raphaël.

le 20

On me livre enfin le moulage en plâtre de mon émotion et je décide de photographier ce continuum à quatre fesses. Des amis sont là, réunis dans le jardin du bas, quand monte jusqu'à moi une femme du monde. Je la regarde — je regarde toutes les femmes — et soudain j'ai une illumination : la personne qui est devant moi, me tournant le dos a exactement deux des fesses de mon continuum. Je la prie de s'approcher du moulage et lui dis qu'elle a ma vision de l'univers dans le bas du dos. Peut-elle me laisser la photographier ? Le plus naturellement, elle accepte, dégrafe sa robe et tout en se penchant par-dessus la murette pour bavarder avec les amis qui sont sur la terrasse en dessous et ne se doutent de rien, elle m'offre ses fesses pour me permettre de confronter le moulage et la chair même de ce moulage.

Quand j'ai fini, elle rajuste sa robe et me tend une revue

---

1. Fort difficile à traduire, cette allusion à un proverbe catalan où compter des fèves correspond à peu près à compter des haricots comme une monnaie d'échange.

qu'elle a gardée dans son sac pour moi. C'est une vieille revue sale et déchirée où je découvre avec l'enivrement que vous imaginez une reproduction de figure géométrique identique à mon moulage : une surface à courbure totale constante que l'on obtient dans les expériences sur la segmentation mécanique d'une goutte d'huile.

Tant d'événements typiquement daliniens en si peu de temps me confirment que je suis parvenu au summum de mon génie.

SEPTEMBRE

le 1er

> *L'Assomption est un ascenseur. Elle*
> *monte grâce au poids du Christ mort.*

Je suis le premier stupéfait des choses uniques et extraordinaires qui m'arrivent chaque jour, mais il faut bien
avouer que cet après-midi, après une sieste réparatrice
d'un quart d'heure, l'événement le plus rare de toute ma
vie a fondu sur moi.

Essayant de descendre mon Assomption pour en
peindre les parties élevées et trouvant un obstacle au
fonctionnement normal des poulies, j'ai forcé et la toile
s'est décrochée pour tomber avec fracas dans le vide,
d'au moins trois mètres de hauteur, à l'intérieur du pra-
ticable dans lequel elle monte et descend selon mes
besoins. J'ai cru un instant que ma toile allait être égra-
tignée, probablement même défoncée, et mes trois mois
de travail perdus, ou que dans le meilleur des cas, il
allait falloir perdre du temps à de fastidieux essais de
restauration. Les cris que j'ai poussés ont fait accourir la

bonne qui m'a trouvé pâle comme un mort ! Je voyais mon exposition à New York remise, pour ne pas dire impossible. Il fallait appeler quelqu'un qui descendrait dans le trou pour remonter les débris de mon chef-d'œuvre inachevé. Hélas, à cette heure-là, tout Port Lligat faisait la sieste. Comme un fou, je suis monté en courant à l'hôtel. En chemin, j'ai perdu une espadrille que je n'ai même pas pris la peine de ramasser. Mon aspect devait être terrible avec mes cheveux et ma moustache en désordre. Me voyant entrer une jeune Anglaise a poussé un cri et a couru se cacher. Enfin, j'ai trouvé Raphaël, le propriétaire, et lui ai demandé de venir m'aider. Aussi pâle que moi, il est descendu dans le trou et avec des précautions extrêmes, nous avons pu remonter le tableau. Miracle ! Il était intact. Pas une seule égratignure, pas un seul grain de poussière ! Tous ceux qui ont essayé de reconstituer l'événement ne comprennent pas comment cela a pu être possible, si on exclut l'intervention des anges[1].

Alors, je me suis aperçu que la chute de mon tableau venait d'un seul coup de me faire gagner tout le mois d'août ! Oui, j'avais peur de travailler à mon œuvre à cause de sa perfection, et je ralentissais, je piétinais. Maintenant, après l'avoir crue anéantie, j'allais travailler vite et sans craintes. Il m'a suffi du reste de la journée pour dessiner les deux pieds, peindre même le droit et achever la boule qui figure le monde. En travaillant, j'ai sans cesse pensé à la Vierge qui tombait vers le ciel de son propre poids. Cette chose m'est arrivée aussi avec ma Vierge descendue au fond de son tombeau. J'ai pu réaliser matériellement, moralement et symboliquement sa glorieuse ascension. Ce genre de miracles, j'en suis certain, n'est au monde que le fait d'une seule personne, Salvador Dali, pour le nommer. J'en remercie humblement Dieu et ses anges.

---

1. Dali a des relations personnelles et particulières avec les anges. On trouvera en annexe un article de Bruno Froissart sur ce délicat problème.

le 2

> *Le plus mauvais peintre du monde, à tous*
> *les points de vue, sans hésitation bru-*
> *meuse, ni doute possible, s'appelle Turner.*
> Salvador Dali.

Ce matin encore, alors que j'étais aux cabinets, une intuition géniale m'a frappé. Ma selle était d'ailleurs invraisemblablement unique ce matin, fluide et inodorante. Je me préoccupais du problème de la longévité humaine, à cause d'un octogénaire qui travaille cette question et vient de se jeter en parachute de voile rouge au-dessus de la Seine. Mon intuition est que si on parvenait à rendre l'excrément humain aussi fluide que le miel qui coule, la vie de l'homme s'allongerait, car l'excrément (d'après Paracelse) est le fil de la vie, et chaque interruption ou pet n'est qu'une minute de la vie qui s'envole. C'est l'équivalent, dans le temps, du coup de ciseaux des Parques qui coupent ainsi le fil de l'existence, la morcellent et l'usent. L'immortalité temporelle doit être recherchée dans le déchet, dans l'excrément et pas ailleurs... Et puisque la plus haute mission de l'homme sur terre est de tout spiritualiser, c'est l'excrément en particulier qui en a le plus besoin. Ainsi ai-je de plus en plus en exécration toutes les blagues scatologiques et toutes les formes de frivolité à ce sujet. Au contraire, je suis abasourdi du peu d'attachement philosophique et métaphysique que l'esprit de l'homme a montré au sujet capital de l'excrément. Et quelle inconvenable chose encore que de constater que parmi tant d'êtres d'esprit, il y en a beaucoup qui effectuent leurs besoins comme tout le monde. Le jour où j'écrirai un traité général sur ce sujet, j'étonnerai, sûr et certain, le monde tout entier. Ce traité sera d'ailleurs aux antipodes de celui de Swift sur les latrines.

le 3

Aujourd'hui est l'anniversaire du bal Beistegui. Le souvenir de ce 3 septembre dernier à Venise m'inonde d'une angoisse finissime, mais je me dis aujourd'hui que je dois finir le pied gauche et commencer le « radioloire[1] », globe terrestre d'angoisse rhinocérontique. Dans deux jours je commencerai à peindre en perspective les « niçoïdes[2] ». Alors je m'offrirai le grand luxe d'une épuisante rêverie rétrospective sur le bal Beistegui. J'en aurai besoin pour me perdre dans les corpuscules lumineux et vénitiens du corps glorieux de ma Gala.

le 4

Je dois lutter vaillamment et plusieurs fois pour ne pas permettre au bal Beistegui de s'emparer du cours poisseux de mes rêveries. Je réussis à me défendre des images du bal, exactement comme quand j'étais enfant je tournais autour de la table une longue heure, mort de soif avant de prendre un verre d'eau fraîche après avoir exaspéré mon attente jusqu'aux délices du calice de mes soifs délirantes et inassouvies.

le 5

Je continue à retenir la rêverie Beistegui cette fois-ci comme on retient l'urine, sautillant et inventant du même coup une nouvelle chorégraphie devant mon tableau. Je retiens aussi mes « niçoïdes ».

1. Les radioloires rappellent à s'y méprendre les fameuses sphères armillaires qui figurent notamment dans les armes des rois de Portugal.
2. Les niçoïdes sont les éléments corpusculaires composant la Corpuscularia Lapislazulina de Dali.

le 6

A l'instant même où j'allais laisser mon tellement chéri et aimé cerveau de Salvador commencer enfin sa rêverie sur le bal Beistegui, un notaire est annoncé. Je lui fais expliquer poliment que je travaille et que je pourrai le recevoir à huit heures. Mais de fixer un terme à ma rêverie projetée produit en moi un sentiment de révolte. Et voilà que la bonne revient en disant que le notaire insiste parce qu'il est venu en taxi. Cette raison me paraît stupide parce que les taxis ne sont pas comme les trains, ils peuvent attendre. Je répète à Rosita que ma rêverie et les corpuscules du corps glorieux de Gala ne peuvent être dérangés avant huit heures du soir. Mais le notaire prétendant être un grand ami à moi s'introduit dans la bibliothèque, écarte les livres d'art rarissimes, dérange mes calculs mathématiques, mes dessins originaux si précieux que personne n'a le droit de toucher, et commence à rédiger un acte notarial dans lequel il assure que je me suis refusé à le recevoir. Puis il propose à la bonne de le signer. Elle dit non, se méfie et vient m'avertir de la situation. Je descends, déchire tous les papiers qu'il a osé étaler sur la table[1], puis jette ce notaire à la porte avec un coup de pied dans le derrière, coup de pied tout symbolique car je ne l'ai même pas touché.

le 7

Je me plonge dans un état de pré-rêverie extasiée qui prépare à la rêverie au bal Beistegui. Déjà je sens les correspondances proustiennes entre Port Lligat et Venise.

---

1. Dali s'aperçut plus tard qu'il avait déchiré la « matrice » du notaire, acte aussi original que le péché, attentatoire à la loi.

A six heures, j'observe la projection d'une ombre dans la montagne où se trouve la tour. Elle me semble parfaitement synchronisée avec celle qui allonge les fenêtres latérales de l'église de la Salute sur le Grand Canal. Tout est teinté du même rose que le jour du bal vers les six heures à l'entour de la douane.

Demain, c'est décidé, je commencerai mes « niçoïdes » et m'offrirai ma rêverie du bal Beistegui.

le 8

Ça y est ! J'ai commencé les « niçoïdes », sublimes de couleurs supplémentaires au paroxysme. Il y en a de verts, d'orange, de rose saumon. Les voici enfin mes beaux niçoïdes corpusculaires. Mais j'ai trop de plaisir et je recule la rêverie du bal Beistegui, au jour suivant. Le matin, je ferai des « niçoïdes » sans rêver, en toute liberté de penser, mais l'après-midi je me livrerai avec une rage de précision truculente à la rêverie du bal. J'épuiserai jusqu'à la moelle de mes os mes souvenirs langoureux, jusqu'à en être exténué.

le 9

Aujourd'hui, j'aurais sûrement donné libre cours à la rêverie du bal Beistegui si une convocation de la police pour le 11 ne me dérangeait. C'est à la suite de l'incident du notaire et on me dit que cela peut me valoir douze mois de prison. Je repousse la rêverie à plus tard et d'un coup de Cadillac nous allons à G. rendre visite à l'Ambassadeur M... auquel je demande conseil. Il se montre à la fois très affectueux et très dévoué avec moi, et nous téléphonons à au moins deux ministres.

les 10, 11, 12, 13, 14

Pour ne pas me déranger, un après-midi, nous écoutons la lecture d'un document bureaucratique. J'ai perdu tous ces jours à m'occuper de la question du notaire ! Je serai dorénavant d'une platitude de punaise supersonique avec toutes ces espèces de fonctionnaires publics ou autres. Cela a, d'ailleurs, toujours été mon point de vue. Si je ne l'ai pas fait cette fois-ci, c'est que mes sublimes « niçoïdes » m'inspiraient comme un chien est inspiré par son os. Non, beaucoup plus même. Mon inspiration était d'ordre cosmique et il est évident qu'un notaire ne peut rien y comprendre. Ce que je ressentais au moment où j'ai été interrompu c'est l'approche des contours corpusculaires de l'extase.

le 15

L'angoisse que me procure l'éventualité des douze mois de prison à la suite de l'histoire du notaire provoque en moi un goût aigu de l'instantanéité. J'adore Gala encore plus que je ne pouvais le savoir. Aussi, me suis-je mis à peindre comme un rossignol chante. Mon canari, du coup — et voilà ce qui est curieux, alors qu'il ne chantait plus — vient de lancer une roulade. Le petit Juan dort dans notre chambre. Il est un vrai mélange de Murillo et de Raphaël. J'ai dessiné trois sanguines de Gala nue en prière. Depuis trois jours nous allumons du feu dans la grande cheminée de notre chambre. Quand nous éteignons la lumière, les bûches qui flambent nous éclairent ! Il fait rudement bon ne pas être encore en prison, tellement bon que je m'accorde encore un jour de vacances pour demain, avant de me plonger dans la grande, l'épuisante, la suprême, la délicieuse rêverie à propos du bal Beistegui. Je finis les mains et les bras de la Vierge.

le 16

J'ai commencé à entamer les premiers corpuscules de mon Assomption. Pas de prison pour le moment, ce qui me fait goûter au paroxysme la prison volontaire de ma maison de Port Lligat. Je me prépare spirituellement à commencer demain, sur le coup de trois heures et demie, ma rêverie sur le bal Beistegui.

le 17

Eh bien non ! La rêverie sur le bal Beistegui n'a pas eu lieu. J'ai commencé à me rendre compte que de cette difficulté à entamer une rêverie qui me procure à l'avance — et rien que d'y penser — tant de plaisir, résulte quelque chose de typiquement paradoxal et dalinien, quelque chose aussi de réellement unique. Ainsi, crois-je sentir au foie une légère douleur que j'attribue à l'angoisse produite par l'histoire du notaire, mais finalement, je découvre que j'ai tout simplement la langue sale. Il y a tellement d'années que ça ne m'est pas arrivé que je reste surpris. Finalement, je viens de prendre la moitié d'une dose normale de purge. Cette purge est excessivement suave. Je doute maintenant que la rêverie ait lieu demain. Néanmoins, cette idée obscure que je n'étais pas en « état » de commencer ma grande, hallucinante et très aimée rêverie, peut être expliquée par ma très inhabituelle langue sale. Un mauvais état gastrique est tout à fait impropre à l'euphorie suprême qui doit précéder physiologiquement tout grand acte d'imagination exacerbé et extasié.

Gala vient m'embrasser avant que je m'endorme. C'est le plus doux et le meilleur baiser de ma vie.

NOVEMBRE

Port Lligat le 1ᵉʳ

Aussitôt que quelqu'un de très important ou même de semi-important meurt, j'éprouve le sentiment aigu, biscornu et rassurant à la fois, que ce mort est devenu dalinien cent pour cent puisque, désormais, il protégera l'éclosion de mon œuvre.

Salvador Dali.

C'est le jour pour penser aux morts et à moi. Le jour pour penser à la mort de Federico Garcia Lorca, fusillé à Grenade, au suicide de René Crevel à Paris et de Jean-Michel Franck, à New York. A la mort du surréalisme. Au prince Mdivani guillotiné par sa Rolls Royce. Aux morts de la princesse Mdivani et de Sigmund Freud exilé à Londres. Au double suicide concerté de Stefan Zweig et de sa femme. A la mort de la princesse de Faucigny-Lucinge. A la mort au théâtre de Christian Bérard et de Louis Jouvet. Aux morts de Gertrude Stein et de José-Maria Sert. Aux morts de Missia et de Lady Mendel. De Robert Desnos et d'Antonin Artaud. De l'existentialisme. A la mort de mon père. A celle de Paul Éluard.

J'ai la certitude que mes qualités d'analyste et de psychologue sont supérieures à celles de Marcel Proust. Non seulement parce que parmi de nombreuses méthodes qu'il ignorait, je me sers de la psychanalyse, mais surtout parce que la structure de mon esprit est d'un type éminemment paranoïaque, donc des plus indiqués pour ce genre d'exercice, tandis que la structure du sien était celle d'un névrosé déprimé, c'est-à-dire le moins apte à ces investigations. Chose qu'il est facile de reconnaître au style déprimant et distrait de ses moustaches qui, comme celles encore plus déprimantes de Nietzsche, sont exactement à l'opposé des bacchantes alertes et gaies de Vélasquez ou mieux encore de celles ultra-rhinocérontesques de votre génial et humble serviteur.

Il est exact que j'ai toujours aimé me servir des systèmes pileux, que ce soit d'un point de vue esthétique pour déterminer le nombre d'or qui dépend de la plantation des cheveux, ou que ce soit dans le domaine psychopathologique de la moustache, cette constante tragique du caractère, assurément le signe le plus truculent du visage masculin. Il est plus exact encore que si j'aime tant me servir de termes gastronomiques pour faire avaler mes idées philosophiques, difficiles et laborieuses à digérer, j'exige toujours de ces idées une farouche limpidité jusque dans leurs moindres poils. Je ne tolérerais pas un manque de clarté, si minime fût-il.

C'est ainsi que j'aime dire que Marcel Proust avec son introspection masochiste et sa décortication anale et sadique de la société a réussi à composer une espèce de prodigieuse bisque d'écrevisses, impressionniste, supersensible, et quasi musicale. Il n'y manque que les écrevisses dont on peut dire qu'elles n'y sont que par essence. Tandis que Salvador Dali, au contraire grâce à toutes les essences et quintessences les plus impondérables de ses auto-décortications, et de celles des autres qui ne sont jamais semblables, parvient à vous offrir sur une assiette éblouissante et sans un poil de connaissance, rien de moins qu'une vraie écrevisse à la nage, concrète, luisante et articulée comme la véritable armure comestible de la réalité qu'elle est en effet.

D'une écrevisse, Proust parvient à faire de la musique, Dali, à l'opposé, avec de la musique parvient à faire une écrevisse.

Passons maintenant à la mort des contemporains que j'ai connus et qui ont été mes amis. Mon premier et rassurant sentiment est qu'ils deviennent tellement daliniens qu'ils vont travailler aux sources de mon œuvre. En même temps que se manifeste un autre sentiment inquiétant et paradoxal : je crois être la cause de leur mort !

Sans que j'aie besoin de la solliciter, mon interprétation paranoïaque délirante me fournit les preuves les plus minutieuses de ma responsabilité criminelle. Mais comme, d'un point de vue objectif, c'est absolument faux, et que d'autre part, je plane au-dessus de tout grâce à une intelligence quasi surhumaine, les choses finissent par s'arranger. Et c'est ainsi que je peux vous confesser avec mélancolie, sans aucune honte, que les morts successives de chacun de mes amis, en se superposant en couches très fines de « faux sentiments de culpabilité », finissent par former une espèce d'oreiller moelleux sur lequel je m'endors, le soir, plus frais et moins angoissé que jamais.

Mort fusillé à Grenade, le poète de la mauvaise mort, Federico Garcia Lorca !

Olé !

C'est par ce cri typiquement espagnol que j'accueillis à Paris la nouvelle de la mort de Lorca, le meilleur ami de mon adolescence agitée.

Cette exclamation que pousse biologiquement l'amateur de corridas chaque fois que le matador réussit une belle « passe » ou qui jaillit du gosier de ceux qui entraînent les chanteurs flamencos, je l'ai criée à l'occasion de la mort de Lorca, signifiant par là combien sa destinée s'achevait par une réussite tragique et typiquement espagnole.

Cinq fois par jour au moins, Lorca faisait allusion à sa mort. La nuit, il ne pouvait pas s'endormir si, à plusieurs, nous n'allions pas le « coucher ». Une fois au lit, il trouvait encore le moyen de prolonger indéfiniment les conversations poétiques les plus transcendantales qui aient eu lieu en ce siècle. Presque toujours, il finissait par discuter de la mort, et surtout de sa propre mort.

Lorca imitait et chantait tout ce dont il parlait, notamment son décès. Il le mettait en scène en le mimant : « Voilà — disait-il — comment je serai au moment de ma mort ! » Après quoi, il dansait une sorte de ballet horizontal qui représentait les mouvements saccadés de son corps pendant l'enterrement, lorsque le cercueil descendrait une certaine pente abrupte de Grenade. Puis il nous montrait comment serait son visage quelques jours après sa mort. Et ses traits, qui n'étaient pas beaux d'ordinaire, s'auréolaient soudain d'une beauté inconnue et même d'une excessive joliesse. Alors, sûr de l'effet qu'il venait de produire sur nous, il souriait, éclatant du triomphe que lui procurait l'absolue possession lyrique de ses spectateurs.

Il avait écrit :

El rio Guadalquivir tiene las barbas granates
Granada tiene dos rios, uno llanto, et otro sangre [1].

Aussi, à la fin de l'ode à Salvador Dali (doublement immortelle), Lorca fait-il une allusion non équivoque à sa propre mort et me demande-t-il de ne pas m'y attarder tant que fleuriront ma vie et mon œuvre.

La dernière fois que je vis Lorca, ce fut à Barcelone, deux mois avant la guerre civile. Gala qui ne le connaissait pas fut bouleversée par ce phénomène gluant, d'un lyrisme total. Ce sentiment fut d'ailleurs réciproque : pendant trois jours, Lorca, émerveillé, ne parla que de Gala. De même, Edward James, le poète immensément riche et aussi super-sensible qu'un oiseau-mouche, resta pris et immobilisé dans la glu de la personnalité de Federico. James

---

1 « Le fleuve Guadalquivir a la barbe grenat
   Grenado a deux fleuves, un de larmes, un autre de sang. »

s'habillait d'un costume tyrolien trop brodé, avec une culotte courte et une chemise de dentelle. Lorca disait de lui que c'était un oiseau-mouche habillé en soldat de l'époque de Swift.

Pendant notre repas au restaurant du « Canari de la Garriga » un très petit insecte extraordinairement bien habillé traversa la nappe au pas de l'oie. Lorca le reconnut aussitôt et poussa un cri, mais le retenant sous son doigt, il cacha son identité à James. Quand il retira son doigt, il n'y avait plus de trace d'insecte. Eh bien ce petit insecte, lui aussi poète et habillé de dentelles tyroliennes, aurait pu être le seul à changer la destinée de Lorca.

En effet, James venait de louer la villa Cimbrone, près d'Amalfi, qui inspira Parsifal à Wagner. Il nous invitait à y aller vivre Lorca et moi, aussi longtemps que nous le voudrions. Pendant trois jours, mon ami se débattit contre cette alternative angoissante : irait-il ou n'irait-il pas ? Tous les quarts d'heure, il changeait d'avis. A Grenade, son père affligé d'une maladie de cœur craignait de mourir. Finalement, Lorca promit qu'il nous rejoindrait aussitôt qu'il serait allé voir son père pour se rassurer. Entre-temps, la guerre civile éclata. Il fut fusillé tandis qu'aujourd'hui son père est encore en vie.

Guillaume Tell ? Je reste persuadé que si nous n'avions pas réussi à entraîner Federico avec nous, son caractère psycho-pathologiquement anxieux et indécis l'aurait empêché de jamais venir nous rejoindre à la villa Cimbrone. C'est néanmoins à ce moment-là que prit naissance en moi un grave sentiment de culpabilité à son égard. Je n'avais pas assez insisté pour l'arracher à l'Espagne. Si je l'avais vraiment voulu, j'aurais pu l'emmener en Italie. Mais j'écrivais alors un grand poème lyrique « Je mange Gala » et je me sentais, au fond, plus ou moins consciemment jaloux de Lorca. Je voulais être seul en Italie, face aux terrasses de cyprès et d'orangers, face aux temples solennels de Paestum que, d'ailleurs, pour satisfaire mon bonheur de mégalomane et ma soif de solitude, je devais avoir la chance et la joie de ne pas aimer du tout. Oui, à ce moment-là de la découverte dalinienne de l'Italie, mes rapports avec Lorca et notre correspondance violente, par une étrange coïncidence, ressemblèrent à la fameuse brouille entre Nietzsche et Wagner. C'est aussi l'époque où je faisais l'apologie de l'Angélus de Millet, où j'écrivais mon meilleur livre encore inédit : *Le Mythe tragique de l'Angelus de Millet !* [1] et mon meilleur ballet, jamais encore monté, intitulé *L'Angelus de Millet* pour lequel je voulais la musique de l'Arlésienne de Bizet, ainsi que de la musique inédite de Nietzsche. Lui-même, Nietzsche, avait écrit cette partition au bord de la folie, au cours d'une de ses crises anti-wagnériennes. Le comte Étienne de Beaumont l'avait dénichée, je crois, dans une bibliothèque de Bâle, et sans l'avoir jamais entendue, j'imaginais que c'était la seule musique qui pût convenir à mon œuvre.

Les rouges, les semi-rouges, les roses et même les mauves pâles profitèrent à coup sûr à une honteuse et démagogique propagande sur la mort de Lorca, en exerçant un ignoble chantage. Ils essayèrent et essayent encore aujourd'hui de faire de lui un héros politique. Mais moi qui fus son meilleur ami, je puis témoigner devant Dieu et devant l'Histoire, que Lorca, poète cent pour cent pur, était consubstantiellement l'être le plus apostolique que j'aie jamais connu. Il fut simplement la victime propitiatoire de questions personnelles, ultra-personnelles, locales, et avant tout la proie innocente de la confusion omnipotente, convulsive et cosmique de la guerre civile espagnole.

En tout cas, une chose est certaine. Chaque fois que, du fond de ma solitude, je réussis à faire jaillir de mon cerveau une idée géniale ou à donner un coup de pinceau archangéliquement miraculeux, j'entends toujours la voix rauque et doucement étouffée de Lorca qui me crie : Olé !

1. Paru enfin en 1963, chez J.-J. Pauvert.

La mort de René Crevel est une autre histoire. Pour prendre les choses par leur début, il me faut raconter brièvement l'histoire de l'A.E.A.R., c'est-à-dire l'*Association des Écrivains et Artistes Révolutionnaires*, succession de mots qui a le mérite de ne signifier à peu près rien. Les surréalistes alors animés d'une grande générosité idéaliste, et alléchés par le caractère équivoque de ce titre, s'étaient inscrits en bloc et composaient la majorité de cette association de bureaucrates moyens. Comme toutes les associations de ce genre, destinées à sombrer dans le néant et frappées de nullité congénitale, le premier soin de l'A.E.A.R. fut d'ouvrir les assises d'un « Grand Congrès International ». Bien que le but d'un pareil congrès fût facile à prévoir, je fus le seul à le dénoncer d'avance : il s'agissait d'abord de liquider tous les écrivains et tous les artistes qui affirmeraient la moindre valeur, et principalement tous ceux qui auraient pu posséder ou maintenir la plus petite idée vraiment subversive et donc révolutionnaire. Les congrès sont d'étranges monstres entourés par essence de coulisses où coulent des êtres physiologiquement appropriés, autrement dit des personnes coulantes. Or Breton est tout ce que l'on voudra, mais avant tout c'est un homme intègre et rigide comme une croix de Saint-André. Dans n'importe quelles coulisses et surtout dans celles d'un congrès, il devient vite le plus encombrant et le plus inassimilable de tous les « corps étrangers ». Il ne peut ni couler, ni se coller aux murs. Ce fut là une des principales raisons qui interdirent à la croisade surréaliste de même franchir simplement la porte du congrès de l'*Association des Écrivains et Artistes Révolutionnaires*, ainsi que je l'avais fort sagement prévu sans effort cérébral d'aucune sorte.

Le seul membre du groupe qui crut à l'efficacité de l'intervention surréaliste au sein du Congrès International de l'A.E.A.R. fut René Crevel. Détail extraordinaire et plein de signification, ce dernier n'avait pas choisi de s'appeler Paul ou André comme tout le monde, ni à la rigueur Salvador comme moi. De même qu'en catalan Gaudi[1] et Dali signifient « jouir » et « désirer », Crevel se prénommait René, ce qui pourrait bien venir du participe passé du verbe « renaître ». En même temps, il avait gardé Crevel pour nom patronymique, ce qui sous-entendait l'acte de se « crever » ou, comme diraient des philosophes un peu philologues, l'« élan vital de se crever ». René fut le seul à croire aux possibilités de l'A.E.A.R. dont il fit son terrain d'envol et devint l'avocat fervent. Il était doté de la morphologie d'un embryon, ou plus exactement encore de la morphologie d'un bourgeon de fougère au moment de son éclosion lorsqu'il s'apprête à dérouler les spirales de ses vrilles naissantes. Vous avez sûrement déjà observé le visage renfrogné comme celui d'un mauvais ange, sourd et beethovénien d'une volute de fougère ! Si vous n'y avez pas encore pensé, faites-le avec attention et vous aurez une idée exacte de ce à quoi pouvait ressembler le visage protubérant de bébé retardé du cher René Crevel. Il représentait alors pour moi le plus vivant symbole de l'embryologie, mais aujourd'hui il s'est aussi mué à mes yeux en l'exemple parfait de cette très nouvelle science intitulée la phénixologie dont je vais parler à vous tous qui avez la chance de me lire. Il est probable que vous n'en connaissez malheureusement rien encore. La phénixologie nous enseigne à nous vivants les merveilleuses chances que nous avons de devenir immortels au cours de cette même vie terrestre, et cela grâce aux possibilités secrètes que nous détenons de retrouver notre état embryonnaire et de pouvoir ainsi réellement renaître à perpétuité de nos propres cendres, tel le Phénix, l'oiseau mythique dont le nom a servi à baptiser cette très nouvelle science qui se

---

1. L'architecte, inventeur du gothique méditerranéen, auteur à Barcelone de l'église inachevée de la Sagrada Familia, d'un jardin public et de nombreux immeubles d'habitation.

prétend particulière parmi les plus particulières de notre époque.

Personne n'a été aussi souvent « crevé », personne n'est autant « rené » à la vie que notre René Crevel. Son existence se passait en de constantes allées et venues dans les maisons de santé. Il s'y rendait crevé pour réapparaître renaissant, florissant, neuf, luisant et euphorique comme un bébé. Mais cela durait peu. La frénésie de l'auto-destruction le reprenait vite et il recommençait à s'angoisser, à refumer l'opium, à se battre contre d'insolubles problèmes idéologiques, moraux, esthétiques et sentimentaux, s'adonnant sans mesure à l'insomnie et aux larmes jusqu'à en crever. Alors il se regardait comme un obsédé dans tous les miroirs pour maniaques-impulsifs du Paris déprimant et proustien de ce temps-là, se répétant chaque fois : « J'ai l'air d'un crevé, j'ai une mine de crevé », jusqu'à ce que, à bout de forces, il vînt avouer à quelques intimes : « J'aime mieux crever que de continuer un jour de plus comme cela. » On l'envoyait dans un sanatorium pour le désintoxiquer et, après des mois de soins assidus, de nouveau René renaissait. Nous le voyions resurgir dans Paris, débordant de vie comme un enfant joyeux, habillé comme un gigolo supérieur, éclatant, super-ondulé, crevant déjà d'un optimisme qui se donnait libre cours en générosités révolutionnaires, puis, encore une fois, progressivement mais de façon inéluctable, se mettant à refumer, à se retorturer, crispé, recroquevillé comme une volute de fougère non viable !

René passa ses plus dures périodes d'euphorie et de « décrevelage » dans ce Port Lligat digne d'Homère et qui n'appartient qu'à Gala et à moi. Ce furent les plus beaux mois de sa vie, comme il l'a écrit lui-même dans ses lettres. Ces séjours prolongèrent sa vie d'autant. Mon ascétisme l'impressionnait, et tout le temps qu'il habita chez nous à Port Lligat, il vécut comme un anachorète en m'imitant. Il se levait avant moi, avant le soleil, et passait toutes ses journées entièrement nu dans l'olivette, face au ciel le plus dur et le plus lapislazulien de toute la Méditerranée, le plus méridionalement extrémiste d'une Espagne extrémiste à en mourir. Il m'aimait plus que tous les autres, mais préférait encore Gala, que comme moi il appelait l'olive, répétant que s'il ne trouvait pas pour lui une Gala, une olive, sa vie ne pouvait finir que tragiquement. C'est à Port Lligat que René écrivit : *Les pieds dans le plat, Le clavecin de Diderot* et *Dali et l'antiobscurantisme*. Dernièrement Gala, se souvenant de lui et le comparant à certains de nos jeunes contemporains, s'est exclamée, pensive : « On ne fait plus aujourd'hui de garçon comme lui. »

Il y avait donc une fois une chose qui s'appelait l'A.E.A.R. Crevel commençait d'arborer une mauvaise mine alarmante. Il pensait ne trouver rien de mieux que le congrès des écrivains et artistes révolutionnaires pour s'adonner à tous les excès aphrodisiaques et exténuants des tourments et des contradictions idéologiques. Surréaliste, il crut honnêtement que, sans faire de concessions, nous pourrions marcher de concert avec les communistes. Cependant bien avant l'ouverture du congrès, les plus basses intrigues et les pires mouchardages se donnèrent cours afin d'assurer déjà la liquidation pure et simple de la plate-forme idéologique sur laquelle se tenait notre groupe. Crevel faisait la navette entre les communistes et les surréalistes, s'essayant à d'épuisantes conciliations désespérées, se crevant et renaissant. Chaque soir apportait un drame et un espoir. Le plus terrible drame fut la brouille irrémédiable avec Breton. Crevel avec des larmes enfantines vint me la raconter. Je ne l'encourageai pas dans la voie communiste. Je m'appliquai au contraire, suivant mon habituelle tactique dalinienne, à provoquer pour chaque situation le plus possible d'antagonismes insolubles, afin d'extraire de toutes ces opportunités le maximum de jus irrationnel. C'est à ce moment-là que mon obsession « Guillaume Tell-piano-Lénine » le céda à celle « du grand-paranoïaque-comestible », je veux dire Adolphe Hitler. Aux pleurs de Crevel, je répondis que la seule conclusion pratique et possible du congrès de l'A.E.A.R. serait celle qui aboutirait à voter une motion déclarant le regard et le dos dodu d'Hitler, doués d'un lyrisme poétique irrésistible, ce qui ne devait en rien empêcher de lutter contre lui sur le plan politique, bien au contraire. En même temps, je faisais part à Crevel de mes doutes au sujet du canon de Polyclète[1] et concluais que j'étais presque certain que Polyclète était fasciste. René partit accablé. Parce qu'il en avait eu les preuves quotidiennes lors de ses séjours à Port Lligat, Crevel était, de mes amis, celui qui avait la plus grande certitude qu'au fond de mes plus truculentes loufoqueries tragiques résidait toujours, comme le disait Raimu, un fond de vérité. Une semaine s'écoula et je me sentis pris d'un sentiment aigu de culpabilité. Il fallait téléphoner à Crevel, sans quoi il me croirait solidaire de l'attitude de Breton, encore que ce dernier fût aussi loin de partager mon lyrisme hitlérien que le congrès lui-même. Pendant cette semaine d'attente, les intrigues de coulisse du Congrès aboutirent à l'impossibilité déclarée pour Breton de seulement lire le rapport du groupe surréaliste. Paul Eluard fut chargé à sa place d'en présenter une version d'ailleurs très édulcorée et minimisée. Après ces journées, Crevel devait se trouver déchiré à chaque minute entre les devoirs du parti et les exigences du groupe surréaliste. Quand je me décidai enfin à l'appeler, une voix étrangère me répondit au bout du fil avec un mépris olympien : « Si vous êtes un peu ami de Crevel — me dit-on — prenez un taxi et venez tout de suite. Il est en train de mourir. Il a voulu se tuer. »

Je bondis dans un taxi, mais dès que nous arrivâmes dans la rue où il habitait, je fus étonné par la foule qui

---

1. Statuaire grec du vᵉ siècle avant J.-C.

stationnait là. Une voiture de pompiers était arrêtée devant sa maison. Je ne compris pas du tout le rapport qui pouvait exister entre les pompiers et le suicidé, croyant d'après une association typiquement dalinienne qu'un incendie et un suicide s'étaient accouplés dans la même maison. Je pénétrai dans la chambre de Crevel remplie de pompiers. Avec la gloutonnerie d'un nourrisson, René suçait de l'oxygène. Jamais je n'ai vu quelqu'un de si accroché à l'existence. Après s'être crevé au gaz de Paris, il essayait de renaître à l'oxygène de Port Lligat. Avant de se suicider, il avait fixé à son poignet gauche un morceau de carton sur lequel il avait écrit en lettres majuscules bien fermes : RENÉ CREVEL. Comme à l'époque je ne savais pas encore très bien téléphoner, je courus chez le vicomte et la vicomtesse de Noailles, grands amis de Crevel, d'où je pus annoncer avec le plus de tact possible et de la façon la plus adéquate, la nouvelle qui allait bouleverser Paris et que j'avais été le premier à connaître. Dans le salon étincelant de bronzes dorés, sur le fond noir et olivâtre des Goya, Marie-Laure prononça sur Crevel des paroles excessivement inspirées qui furent aussitôt oubliées. Jean-Michel Franck, qui allait aussi se suicider peu après, fut le plus touché par cette mort et eut plusieurs crises de nerfs pendant les jours qui suivirent. Le soir de la mort de Crevel, nous allâmes au hasard des boulevards, voir un film sur Frankenstein. Comme tous les films que je vois, obéissant à mon système paranoïa-critique, il illustra jusque dans les moindres détails nécrophiliques l'obsession de la mort de Crevel. Frankenstein lui ressemblait même physiquement. Tout le scénario du film était fondé d'ailleurs sur l'idée de mourir et de renaître, comme un avant-goût pseudo-scientifique de notre très nouvelle phénixologie.

Les réalités mécaniques de la guerre allaient balayer les tourments idéologiques de toutes sortes. Crevel était de ces vrilles de fougères qui ne peuvent se dérouler qu'aux

bords des tourbillons clairs, tourmentés et léonardesques
des viviers idéologiques. Depuis Crevel, plus personne n'a
discuté sérieusement de matérialisme dialectique, ni de
matérialisme mécaniste, ni de quoi que ce soit. Mais Dali
vous annonce ici que dans les jours prochains où l'esprit
aura retrouvé ses ornements les mieux ciselés, les mots de
« Monarchie, mysticisme, morphologie, phénixologie
nucléaire » agiteront de nouveau le monde.

René Crevel, René Crevelera, c'est moi qui te crie : Crevel renais. Et toi, à la manière espagnole et en castillan, tu
me réponds :

— *Présenté !*

Il y eut une fois une chose qui s'appelait l'A.E.A.R. !

1953

MAI

Port Lligat le 1er

J'ai passé l'hiver à New York comme d'habitude, remportant les plus grands succès de toutes sortes. Depuis un mois nous sommes à Port Lligat et aujourd'hui, comme l'an dernier, je décide de reprendre mon journal. J'inaugure le 1er mai dalinien en travaillant frénétiquement comme m'y pousse une douce angoisse créative. Mes moustaches n'ont jamais été aussi longues. Tout mon corps est enfermé dans mes habits. Seules mes moustaches dépassent.

le 2

Je pense que la liberté la plus suave pour un homme qui est sur terre consiste à pouvoir vivre s'il le veut, sans avoir besoin de travailler.

J'ai dessiné depuis le lever du soleil jusqu'à la nuit, six visages d'anges mathématiques, explosifs, et d'une beauté si grande que j'en suis resté exténué et courbatu. En me couchant, je me suis souvenu de Léonard quand il compare la mort après une vie comblée à l'arrivée du sommeil après une longue journée de travail.

le 3

Pendant mon travail, j'ai des rêveries infinies à propos de la « phenixologie ». J'étais en train de renaître pour la troisième fois quand j'ai appris par la radio une invention du concours Lépine. On aurait trouvé le moyen de changer la couleur des cheveux sans courir le risque habituel des teintures. Une poudre microscopique chargée d'une électricité contraire à celle des cheveux provoque une modification de la couleur. S'il le fallait, je pourrais conserver mes cheveux du plus beau noir en attendant la réalisation de mes utopies « phenixologiques ». Cette assurance m'a procuré une joie enfantine des plus vives, surtout en ce printemps où je me sens rajeuni à tous égards.

le 4

Gala a trouvé, à l'entrée de Cadaquès, une bergerie. Elle voudrait l'acheter pour la transformer et en a parlé au berger.

le 5

En tête de mon livre sur l'artisanat[1] j'ai écrit : Van Gogh se coupa l'oreille ; avant de vous couper la vôtre, lisez ce livre. Lisez ce journal.

le 6

Tout peut être fait bien ou mal. De même pour ma peinture !

1. *50 Secrets of Magic Craftmanship*, by Salvador Dali. The Dial Press, New York, 1948.

le 7

Sachez que la plus étonnante vision que votre cerveau puisse imaginer peut être peinte avec le talent artisanal de Léonard ou de Vermeer.

le 8

Peintre, tu n'es pas un orateur ! Peins donc et tais-toi !

le 9

Si vous vous refusez à étudier l'anatomie, l'art du dessin et de la perspective, les mathématiques de l'esthétique et la science de la couleur, laissez-moi vous dire que c'est plus un signe de paresse que de génie.

le 10

Foin des chefs-d'œuvre paresseux !

le 11

Commencez par dessiner et par peindre comme les anciens maîtres, après cela faites comme vous l'entendez — vous serez toujours respectés.

le 12

La jalousie des autres peintres a toujours été le thermo-mètre de mon succès.

le 13

Peintres, soyez riches plutôt que pauvres. Et à cette fin, suivez mes conseils.

le 14

Honnêtement... ne peignez pas malhonnêtement !

le 15

Henry Moore, il est Anglais !

le 16

Braque — de même que Voltaire avec le Bon Dieu — nous nous saluons, mais nous ne nous parlons pas !

le 17

Matisse : triomphe du goût bourgeois et de la promis-cuité.

le 18

Piero della Francesca : triomphe de la monarchie absolue et de la chasteté.

le 19

Breton : tant et tant d'intransigeance pour une si petite
déchéance !

le 20

Aragon : tant et tant d'arrivisme pour si peu d'arrivage !

le 21

Eluard : tant et tant de confusion pour rester si pur.

le 22

René Crevel : avec le trotskysme bonapartiste, il se rene-
crevelera.

le 23

Kandinsky ? C'est inéluctable : il ne pourra jamais y

avoir un peintre russe. Kandinsky aurait pu faire de merveilleuses poignées de canne en émail cloisonné, comme celle que je porte et dont Gala m'a fait cadeau pour Noël.

le 24

Pollock : le « marseillais » de l'abstrait. C'est le romantique des fêtes galantes et des feux d'artifice, comme le fut le premier tachiste sensuel : Monticelli. Il n'est pas aussi mauvais que Turner. Parce qu'il est encore plus nul.

le 25

L'actualisation de l'art africain, lapon, breton, letton, majorquin ou crétois, ce n'est que de la crétinisation moderne ! Ce n'est que du chinois et Dieu sait si j'aime peu l'art chinois !

le 26

Depuis ma plus tendre enfance, j'ai la vicieuse tournure d'esprit de me considérer comme différent du commun des mortels. Cela aussi est en train de me réussir.

le 27

Premiers : Gala et Dali.
Second : Dali.

Troisièmes : tous les autres en y comprenant bien sûr, encore une fois nous deux.

le 28

le 29

le 30

Le moment le pire est passé pour Meissonier.

JUIN

Je viens de découvrir voilà une semaine que pour tout dans mon existence, y compris le cinéma, j'avais un retard d'environ douze ans. Il y a notamment onze ans que j'ai le dessein de faire un film intégralement, totalitairement, cent pour cent hyper-dalinien. D'après mes calculs, il est donc probable que ce film sera enfin tourné l'année prochaine.

Je suis exactement le contraire du héros de la fable de la Fontaine : « Le Berger et le loup ». Alors que dans ma vie, et déjà au cours de mon adolescence, j'ai réalisé tant de choses sensationnelles, il arrive maintenant que, quoi que j'annonce — comme par exemple ma corrida liturgique où des curés courageux devront danser devant un taureau qu'un hélicoptère emportera au ciel après la course — tout le monde sauf moi croit à ce projet qui — et c'est là le plus étonnant — finira quand même par voir le jour d'une façon inéluctable.

A vingt-sept ans, pour mon arrivée à Paris, j'ai fait en collaboration avec Luis Buñuel deux films qui resteront historiques : *Le Chien andalou* et *L'Age d'or*. Depuis cette date, Buñuel a travaillé seul et mis en scène d'autres films, me rendant ainsi l'inestimable service de révéler au public à qui revenait le côté génial et à qui le côté primaire du *Chien andalou* et de *L'Age d'or*.

Si je réalise mon film, je veux être assuré qu'il sera d'un bout à l'autre une continuité de prodiges, car il est inutile de se déranger pour aller voir des spectacles qui ne sont pas sensationnels. Plus mon public sera nombreux, plus mon film rapportera une fortune à son auteur si justement baptisé « Avida Dollars ». Mais pour qu'un film paraisse prodigieux à ses spectateurs, le premier point indispensable est que ces derniers puissent croire aux prodiges qu'on leur dévoile. Le seul moyen, c'est d'en finir, avant toute chose, avec le répugnant rythme cinématographique actuel, cette conventionnelle et ennuyeuse rhétorique du mouvement de la caméra. Comment peut-on même une seconde croire au plus banal des mélodrames, quand la caméra suit l'assassin partout en travelling jusque dans les toilettes où il va laver le sang qui tache ses mains ? C'est pourquoi Salvador Dali, avant même de commencer à tourner son film, prendra soin d'immobiliser, de clouer sa caméra au sol avec des clous comme Jésus-Christ sur la croix. Tant pis si l'action sort du cadre visuel ! Le public attendra angoissé, exaspéré, anxieux, haletant, piétinant, extasié ou mieux encore s'ennuyant, que l'action revienne dans le champ de l'appareil de prise de vues. A moins que des images très belles et tout à fait en dehors de l'action viennent le distraire en défilant sous l'œil immobile, ligoté, hyperstatique de la caméra dalinienne enfin rendue à son véritable objet, esclave de ma prodigieuse imagination.

Mon prochain film sera exactement le contraire d'un film expérimental d'avant-garde, et surtout de ce que l'on qualifie aujourd'hui de « créateur » qui ne signifie rien d'autre qu'une subordination servile à tous les lieux communs du triste art moderne. Je raconterai la véritable histoire d'une femme paranoïaque amoureuse d'une brouette qui revêt successivement tous les attributs de la personne aimée dont le cadavre a servi de moyen de transport. Finalement, la brouette se réincarnera et deviendra chair. C'est pourquoi mon film s'intitulera *La Brouette de chair*. Raffinés ou moyens, tous les spectateurs seront forcés de participer à mon délire fétichiste, car il s'agit d'un cas rigoureusement vrai qui sera raconté comme aucun documentaire n'aurait su le faire. Malgré son réalisme catégorique, mon œuvre comprendra des scènes réellement prodigieuses et je ne puis m'empêcher d'en communiquer quelques-unes d'avance à mes lecteurs à seule fin de les faire saliver. Ils verront cinq cygnes blancs exploser l'un après l'autre dans une série d'images minutieusement lentes et se développant selon la plus rigoureuse eurythmie archangélique. Les cygnes seront truffés de véritables grenades préalablement bourrées d'explosifs tels que l'on puisse observer, avec toute la précision désirable, l'éclatement des entrailles des oiseaux et la projection des grains de grenade en éventail. Les grains heurteront le nuage de plumes à la façon dont on peut rêver — ou plutôt rêvasser — que s'entrechoquent les corpuscules de lumière, de telle sorte que, dans mon expérience, les grains auront le même réalisme que ceux des tableaux de Mantegna et les plumes ce flou qui rendit fameux le peintre Eugène Carrière[1].

Dans mon film on pourra également voir une scène représentant la fontaine de Trévi à Rome. Des maisons de la place, les fenêtres s'ouvriront et six rhinocéros tomberont dans l'eau l'un après l'autre. A chaque chute de rhinocéros s'ouvrira un parapluie noir émergeant du fond de la fontaine.

A un autre moment, on verra la place de la Concorde à l'aube, lentement traversée en tous sens par deux mille curés à bicyclette portant une pancarte avec l'effigie très

---

1. Peintre et lithographe français, dit le Larousse, né à Gournay. Ses figures se détachent sur un fond brumeux (1849-1906).

effacée mais reconnaissable de Georges Malenkov. Et encore, à l'occasion, je montrerai cent gitans espagnols tuant et dépeçant un éléphant dans une rue de Madrid. Ils ne laisseront que son squelette décharné, transposant ainsi une scène africaine que j'ai lue dans un livre. A l'instant où l'on apercevra les côtes du pachyderme, deux des gitans qui malgré leur frénésie sauvage, ne cessent pas un instant de chanter du flamenco, pénétreront dans la carcasse pour s'approprier les meilleures viscères, le cœur, les rognons..., etc. Ils commenceront à se les disputer à coups de couteaux, pendant que ceux qui étaient restés à l'extérieur continueront à dépecer l'éléphant, blessant à plusieurs reprises les lutteurs qui truffent ainsi d'une joie horrible et coupante l'intérieur de l'animal métamorphosé en une grande cage sanguinolente.

Il ne faut pas non plus que j'oublie une scène de chant au cours de laquelle Nietzsche, Freud, Louis II de Bavière et Karl Marx chanteront avec une virtuosité inégalable leurs doctrines, se répondant à tour de rôle, accompagnés par une musique de Bizet. Cette scène se déroulera au bord du lac de Vilabertran au centre duquel, tremblante de froid, de l'eau jusqu'à la ceinture, une très vieille femme habillée en vrai torero sera coiffée d'une omelette aux fines herbes en équilibre sur sa tête rasée. Chaque fois que l'omelette glissera et tombera dans l'eau, un Portugais lui en replacera une nouvelle.

Vers la fin du film, on verra le globe d'un candélabre tantôt s'amincir, tantôt s'épaissir, se couvrir d'ornements, se faner, refleurir, devenir déliquescent, redurcir, etc. Je pense depuis presque un an à ce résumé de toute l'histoire politique de l'humanité matérialiste symbolisée par les transformations morphologiques d'un potiron, simple et reconnaissable dans la silhouette du globe d'un candélabre. Cette étude si minutieuse et si longue dure exactement une minute dans mon film et correspond à la vision d'un homme accablé par le soleil, fermant les yeux et les pressant douloureusement contre la paume de ses mains.

Tout cela, que je suis seul à pouvoir réussir, est bien entendu inimitable, car je suis l'unique avec Gala à posséder le secret grâce auquel je peux réaliser mon film sans jamais avoir besoin de couper ou de fondre des scènes. Ce secret à lui seul provoquera d'interminables queues à la porte des cinémas où sera projetée mon œuvre. Car, contre toute attente des naïfs, *La Brouette de chair* ne sera pas seulement géniale, mais sera aussi le film le plus commercial de notre époque, tout le monde étant d'accord pour être ébloui par une seule qualité : le prodigieux !

AOÛT

J'ai assis la laideur sur mes genoux et je m'en suis presque aussitôt fatigué.

Nous avons tous faim et soif d'images concrètes. L'art abstrait aura servi à cela : rendre sa virginité exacte à l'art figuratif.

Je rêve à une méthode pour guérir toutes les maladies en tout cas les psychologiques.

L'été glisse et s'effiloche à travers mes mâchoires serrées comme si j'étais pris par le tétanos. Nous sommes déjà le 6 août. Comme j'ai peur d'entamer du nouveau tant la peinture de mon « Corpus hypercubicus[1] » est parfaite, j'ai une idée typiquement dalinienne. Ma peur est un manque de testicules. En revanche, ce que j'ai de trop ce sont les dents serrées. Aussi me suis-je attaqué l'après-midi à deux choses très distinctes et cohérentes cependant : l'une les testicules dans le torse de Phidias et l'autre le nombril du même torse de Phidias. Résultat : je n'ai presque plus peur ! Bravo, bravo Dali !

le 7

Arrivée de la *Gaviota*, le yacht d'Arturo Lopez avec Alexis et ses amis. Je me suis levé tard et j'ai pris un long bain dans une mer frissonnante comme une forêt d'oliviers. En fermant les yeux, je me croyais en train de nager dans un liquide de feuilles d'olivier. La nuit, à cause de l'attente du bateau, j'avais rêvé d'une mer couverte de taches d'aquarelles de toutes les sortes. Grâce à un radar de mon invention, je les organisais jusqu'à peindre un très beau tableau « au radar ». J'ai goûté profondément tous les instants de cette journée dont le thème est le suivant : je suis le même être que cet adolescent qui n'osait pas, autrefois, traverser la rue ou la terrasse de ses parents, tant il avait honte. Je rougissais tellement en apercevant des messieurs ou des dames que je considérais comme suprêmement élégants que, souvent, j'étais pris d'étourdissements et me sentais près de m'évanouir. Aujourd'hui, on nous photographie super-déguisés. Arturo est en costume persan et porte autour du cou un collier de gros diamants avec l'emblème de son yacht. Moi, l'ultra-révisionniste, je porte des pantalons turcs turquoise et une mitre d'archevêque. On me fait cadeau des pantalons turcs

1. Le Christ en croix, donné par Chester Dales au Metropolitan Museum of Art de New York.

et d'un fauteuil qui est la copie d'un traîneau Louis XIV avec un dos fait d'une carapace de tortue surmontée d'un croissant en or. Tout cela à cause de l'air oriental qui imprègne les mille et une nuits vivantes de la biologie galanienne de notre maison avec ses fleurs catalanes, nos deux lits, des meubles d'Olot[1] et un samovar rarissime. L'expédition des Catalans en Orient triomphe dans notre maison où le roi blanchissime qui a nom Arturo Lopez vient nous rafistoler. Nous avons déjeuné au milieu du port (centre déterminé très exactement par le radar), entre les champagnes les plus sérieux et la collection de diamants et d'ors émaillés. La bague du baron de Rédé, très belle, a été dessinée par Arturo. Je me souviens de l'avoir déjà vue dans un de mes rêves mégalomaniaques.

Après le départ d'Arturo, pendant une demi-heure, les rochers de Cadaquès se sont stylisés à la lumière de Vermeer. Je crois, après tout cela, que les Catalans devront retourner en Orient. Aussi ai-je proposé une croisière en Russie avec la *Gaviota*. Les dernières histoires politiques aidant[2], quatre-vingts jeunes filles voudront me voir débarquer. Je me ferai prier. Elles insisteront. Je sortirai enfin et ce sera une grande explosion d'applaudissements.

le 8

Je rumine le déjeuner d'hier et me prépare pour lundi, après-demain, à un travail virginal comme si c'était la première fois de ma vie. Jamais, je n'ai eu autant de plaisir à peindre. Nous allons nous baigner à Junquet et je prends de plus en plus de plaisir dans l'eau. C'est la preuve que ma technique picturale est sur une route sûre, puisque je peux

1. Petite ville près de Figueras où Gala a acheté nombre des meubles de style qui ornent la maison de Port Lligat.
2. La mort de Staline.

même nager et que, pour un philosophe, nager équivaut à tuer son fils. C'est pour cette raison que chaque fois que je nage je m'identifie à Guillaume Tell. Que ce serait beau de voir cent philosophes en train de nager et essayant d'accorder le rythme de leurs brasses aux mélodies du « Guillaume Tell » de Rossini !

Chemin de perfection du dimanche. Tout doit être MIEUX ! Cet été, nous verrons deux fois les Lopez. Mon Christ est le plus beau. Je me sens moins fatigué. Mes moustaches sont sublimes. Gala et moi nous nous aimons de plus en plus. Tout doit être mieux ! Chaque quart d'heure je suis encore plus lucide, et je sens plus de perfection entre mes dents serrées ! Je serai Dali, je serai Dali ! Maintenant, il faut que mes rêves se peuplent d'images de plus en plus belles et suaves pour nourrir mes pensées pendant le jour.

Vive moi et Gala !

Oui ou non, suis-je destiné à réaliser des prodiges ?

Oui, oui, oui, oui et oui !

le 10

Je regarde le dos en carapace de tortue du fauteuil dont Arturo Lopez nous a fait cadeau. Le petit croissant de lune en or qui le surmonte ne peut signifier qu'une seule chose : dans un an nous pourrons aller en Russie, car, autrement, pourquoi serait venu s'installer dans notre chambre de Port Lligat ce fauteuil-traîneau avec son croissant ?

Malenkov a le physique, la matière et la qualité d'une gomme à effacer marque Éléphant. On est en train d'effacer le communisme. Galatka prépare la Cadillac pour aller en Russie et la *Gaviota* se prépare également.

Et Staline, le totalement gommé, qui est-il ?

Et où est sa momie ?

le 11

Au moment où je me préparais à travailler avec le sentiment qu'il fallait profiter de tous mes instants libres, car j'étais en retard pour mon tableau, Gala me dit qu'elle serait très malheureuse si, exceptionnellement, je ne partais pas en excursion avec elle au cap de Creus. C'est la plus calme et la plus belle journée de l'été et Gala veut que j'en profite. Ma première réaction est de dire que c'est impossible, mais, à cause de cela et pour la rendre heureuse, j'accepte. Quand on est le plus pressé, c'est une volupté de rester inactif ! Mes désirs de peindre s'accumuleront et je sens déjà que ce sera à partir de cette interruption imprévue que mon tableau se finira d'une façon latente.

Nous passons un après-midi digne des dieux. Tous ces rochers sont des torses de Phidias en formation. Le plus bel endroit de la Méditerranée se trouve exactement entre le cap de Creus et l'aigle de Tudela. La beauté suprême de la Méditerranée s'apparente à celle de la mort. Les rochers paranoïaques de Cullaro et de Francalos sont les plus morts du monde. Aucune de leurs formes ne fut jamais vivante, ni actuelle.

Au retour de notre promenade philosophique, nous nous sentons exactement comme si nous avions vécu un après-midi mort.

J'appellerai cette journée historique : retour de la contrée des grands simulacres mous qui sont durs.

le 12

Le soir, grand lâcher de ballons. L'un a la forme d'un paysan catalan. Il prend presque feu, puis se perd dans l'infini. Quand il est à peine gros comme une puce, les uns

disent : « Je le vois encore ! » d'autres : « Il est perdu ! »
Quelqu'un croit toujours le revoir encore ! Cela me fait
penser à la dialectique de Hegel qui est tristissime parce
qu'en elle tout se perd dans l'infini. L'espace fini, nous en
aurons besoin chaque jour davantage.

Nous voyons tomber du ciel une étoile filante vert véro-
nèse, la plus grande que j'aie jamais observée et je la
compare à Gala qui a été pour moi l'étoile filante la plus
visible, la mieux délimitée et la plus finie !

le 13

Philips est un jeune peintre canadien, fanatique dalinien. Un ange me l'a envoyé. Je lui ai arrangé une baraque
comme atelier. Déjà il dessine avec une grande probité
tout ce dont j'ai besoin, ce qui me permet de m'éterniser
dans les détails qui me plaisent le plus, avec un moins
grand sentiment de culpabilité. Depuis six heures du
matin, Philips est au bas de la maison dessinant le bateau
de Gala tel que je le lui ai demandé.

Port Lligat est jaune et aride. C'est quand je sens monter
du fond de mon être mes soifs ataviques et arabes, que
j'aime le plus Gala.

le 14

C'est grâce à la peur de toucher le visage de Gala que je
finirai par savoir peindre ! Il faut peindre à la volée, sur le
tas, attendre que les tons contradictoires se fondent dans
les losanges aux contours définis et poser la couleur dans
les clairs pour les forcer à devenir des médiums.

Je dois préférer le visage entier de Gala avec courage.

le 15

Je goûte l'après-midi de ce jour de la Vierge. Il tonne et il pleut. Je commence la supra-peinture de la cuisse gauche que je dois interrompre faute de lumière. Pensé au besoin de trouver des dogmes pleins de certitudes sur la vie éternelle. J'ai l'intuition que c'est dans l'œuvre de Raimondo Lulio que je trouverai un jour de quoi me convaincre. En attendant, ma technique est si avancée que je ne peux pas me permettre, même en pensée, la blague de mourir. Même très vieux.

Cheveux blancs reculez ! Cheveux blancs reculez !

Après avoir inventé les fameux œufs daliniens sur le plat sans le plat, il en résulte maintenant que je suis « l'anti-Faust sans le plat »

le 16

Ce dimanche, je découvre la couleur noisette sous-marine des yeux de Gala, couleur qui avec celle des oliviers marins m'émeut toute la journée. J'ai tout le temps envie de contempler ces yeux qui après Gradiva, Galarina, Leda, Gala Placida, sont, de façon éminente, ceux de la tête grosse d'un mètre carré de mon prochain tableau intitulé « Septembrenel ». Ce sera le tableau le plus gai du monde. A un tel point que j'ai l'intention de réussir totalement, sûrement à peindre des tableaux qui, par leurs vertus ironiques, provoqueront carrément l'éclat bruyant et physique du rire.

Philips peint mon tableau méticuleusement. Je n'aurai qu'à tout défaire pour le finir.

Je sens en moi une puissance héroïque que je veux

développer avec tellement de force que je finirai par n'avoir plus peur de rien !

le 17

Par excès de précaution, je mets tellement peu de peinture dans la cuisse droite que, en voulant remettre de la couleur, je tache mon tableau. Du dehors j'entends monter comme une musique céleste le murmure d'admiration des gens qui entourent la maison. Le secret le plus re-secret est que le peintre le plus fameux du monde que je suis ne sait pas encore comment on fait pour peindre. Néanmoins je suis tout près de le savoir, et d'un seul coup je peindrai un tableau qui surpassera ceux de l'antiquité. J'insiste sur les testicules de Phidias[1] pour me redonner du courage...

Oh, si je n'avais pas peur de peindre ! Mais, à la fin, je désire que chaque coup de pinceau atteigne l'absolu et donne la parfaite image des testicules de la peinture, testicules qui ne sont pas les miens.

Les ânes voudraient que j'observe pour moi-même les conseils que je proclame pour les autres. C'est impossible puisque moi je suis complètement différent...

le 18

> *Dès que je sors, le scandale me suit au talon.*
>
> *Don Juan*
> Tirso de Molina.

Comme pour Don Juan, le scandale se déclenche là où j'arrive. Déjà, lors de ma dernière campagne d'Italie, quand je débarquai à Milan, des personnes totalement

---

1. La même année que le Christ en croix, Dali peignit un torse d'homme inspiré de Phidias.

gratuites me préparaient un procès sur les mots « mystique nucléaire » qu'ils prétendaient avoir inventés.

Une princesse italienne est venue me voir avec toute une suite à bord d'un grand yacht. On m'appelle de plus en plus maître, mais ce qui est génial c'est que ma maîtrise est uniquement une chose mentale.

Silence ! Je crois que demain soir les testicules de mon Phidias auront réussi à me faire peindre à la perfection, notamment pour le bras gauche.

le 19

Grâce aux testicules de Phidias, je peins la cuisse gauche d'une façon sublime. Je frise la perfection ce qui veut dire qu'elle est immensément loin, comme tout ce qui frise. Mais ça frise et avant ça ne frisait pas.

De jeunes chercheurs spécialisés dans la physique nucléaire sont venus me voir aujourd'hui. Ils sont repartis enivrés après avoir promis de m'envoyer la cristallisation cubique du sel photographié dans l'espace. J'aime que le sel — symbole de l'incombustibilité — travaille comme moi et comme Juan de Herrera[1] la question du « Corpus hypercubicus ».

le 20

Je me répète une fois de plus — mais si ce n'était pas moi qui le répétais, je ne vois pas qui s'en chargerait gratuitement — je me répète que, dès mon adolescence, j'ai pris le vice de considérer que je pouvais tout me

1. L'architecte espagnol de l'Escurial, auteur du « Discours sur la ferme cubique » qui a inspiré à Dali son « Corpus hypercubicus ».

permettre par le seul fait que je m'appelais Salvador Dali. Depuis — et durant tout le reste de ma vie — j'ai continué à me comporter de la même façon et ça m'a réussi.

Considérant mon tableau, je constate un défaut dans la cuisse gauche. Ce défaut provient de ma croyance illimitée dans les qualités de fusion de la pâte. Pour être plus précis, il me suffira de presser et d'étaler la pâte jusqu'à la parfaite fusion des bords.

le 21

Très important : la couleur peut se fondre sur les bords jusqu'à disparaître. Nécessité de partir du centre et de fondre les côtés. Ce qui tache c'est la couleur non fondue et non travaillée.

le 22

Le secret d'aujourd'hui est de savoir ne pas galoper devant l'été qui échappe à mes petites dents serrées. J'ai beau les serrer au point de ne laisser pratiquement aucune liberté au temps, je lui donne malgré tout l'illusion qu'il pourrait m'échapper. Le temps se prend toute la journée à ce jeu dont Héraclite l'obscur eut clairement la vision quand il proclama : « Le temps est un enfant. » Tout est vérifié aujourd'hui par la constatation que le temps est impensable sans l'espace.

Nous mangeons du muscat. J'ai toujours pensé qu'un grain posé tout près de l'oreille devait faire une espèce de musique. Aussi à la fin du repas ai-je l'habitude d'introduire un grain de ce raisin dans mon oreille gauche. La fraîcheur qu'il me procure me ravit, et je songe déjà à utiliser le mystère de ce ravissement.

le 23

Nous partons pour Barcelone où Serge Lifar, M. Bon et le baron de Rothschild apportent les maquettes de mon ballet. J'espère que la musique sera bien mauvaise. L'histoire conçue par Rothschild est nulle. Je pourrai donc faire des prodiges daliniens en étant seul et en m'assurant l'inconditionnalité de Bon et de Lifar[1].

Le long de la route, je puis goûter à ma popularité qui ne cesse de grandir.

le 24

C'est comme une lune de miel avec Gala. Nos rapports sont plus idylliques que jamais. Je sens qu'approche ce courage qui me manque encore pour faire tout à fait un chef-d'œuvre de ma vie héroïque. J'y parviendrai après n'avoir pas cessé un instant d'être un héros.

Je vois Lifar à Barcelone. J'invente sur-le-champ mon décor avec des pompes à air chaud. En gonflant, les pompes feront surgir une table avec un candélabre. Sur la table j'installerai mon vrai pain français de quatre-vingts mètres de long.

le 25

Retour à Port Lligat. Pendant qu'avec le plus grand plaisir je prépare ma palette, je suis pris de crampes d'estomac et de ventre qui continuent et ne me laissent pas

1. Il s'agit du *Sacre de l'Automne*, sur une musique d'Henri Sauguet.

dormir. Je sens que cet accident est providentiel. Le retard qui m'est infligé me décidera, encore plus violemment, à entreprendre la fin de mon « Corpus hypercubicus ».

le 26

Jour de pluie. Mes crampes disparaissent. Je dors tout l'après-midi et prépare à travailler demain. Tous ces retards sont décidément excellents. La maison est remplie de tubéreuses et d'admirables odeurs. Maintenant je suis au lit. *El gatito bonito*[1] ronronne et fait un bruit exactement semblable à celui de mon ventre avec ses dérèglements intestinaux. Ces deux bruits liquides et synchronisés me donnent les plus grandes satisfactions. Sentant la salive collée au coin de ma bouche, je vais m'endormir.

La tramontane souffle et laisse augurer que demain, je jouirai d'une lumière matinale paradisiaque pour me remettre à ma supra-peinture du « Corpus hypercubicus ».

le 27

Bravo !

Cette maladie a été un don du Bon Dieu ! Je n'étais pas prêt. Je n'étais pas digne d'entreprendre le ventre et la poitrine de mon « Corpus hypercubicus ». Je m'exerce sur la cuisse droite. Il faut que mon ventre guérisse et que ma langue soit proprissime. Demain je travaillerai aux testicules du torse de Phidias, en attendant la purification. Et puis il faut que j'apprenne à fondre parfaitement la pâte du centre vers les bords.

---

1. Le joli petit chat.

le 28

Merci, mon Dieu de m'avoir envoyé ce trouble intestinal. Il manquait à la balance de mon équilibre. Septembre va commencer à septembrer. Les hommes prennent du poids alors qu'en juillet ils se suicident et deviennent fous d'après les statistiques. J'ai une bascule apportée de Barcelone. Je vais commencer à me peser.

Gala et Juan coiffent le *gatito bonito* d'un chapeau de tigre avec une plume jaune et nous l'habituons à coucher dans un berceau géodésique que nous avons rapporté de Barcelone. Le crépuscule et le lever de la lune s'accordent avec les miaulements symphoniques du chat et de mon ventre. Cette harmonie viscérale et lunaire m'apprend à rendre mon « Corpus hypercubicus » éternellement incorruptible. Il sera pétri dans le moule incorruptible de mon ventre et de mon cerveau.

le 29

Grande frayeur ! La fièvre monte et m'oblige à me coucher l'après-midi. Mon ventre ne gargouille plus et le chat ne ronronne plus. Je « vois » cette petite fièvre comme si elle était opalescente, irisée. Serait-elle l'arc-en-ciel de ma maladie ? Les colombes[1] qui étaient restées silencieuses ces jours derniers roucoulent et prennent le relais de mon ventre malade et bruyant, exactement de la même façon que la brebis remplaça Isaac pour le sacrifice.

J'ai donné à Andrès Sagara, qui est venu me voir avec Jones et Foix, un jasmin. Nous avons assisté à un banquet

---

1. Dans un colombier hérissé de fourches-béquilles en bois, Dali garde une vingtaine d'oiseaux.

très long en l'honneur du poète et humaniste Carlos Ribas.
On a joué des sardanes. Carlos Ribas a passé toute sa vie à
étudier la Grèce sans pouvoir comprendre ce qu'elle avait
représenté dans l'Antiquité. Comme, d'ailleurs, tous les
humanistes de notre temps[1].

le 30

Je prie Dieu : ma maladie est finie. Je me sens purifié.
Après-demain, je pourrai recommencer à peindre le « Corpus hypercubicus ».
J'ai une pensée dalinienne : l'unique chose dont le
monde n'aura jamais assez est l'exagération. Cela fut la
grande leçon de la Grèce antique, leçon qui nous a été
révélée pour la première fois, je crois, par Frédéric Nietzsche. Car si, en Grèce, il est vrai que l'esprit apollonien
atteignit la plus haute des mesures universelles, il est
encore plus vrai que l'esprit dionysiaque surpassa toutes
les démesures et toutes les exagérations. Il n'y a qu'à voir
leur mythologie tragique. Ainsi j'aime Gaudi, Raimondo
Lullio et Juan de Herrera parce qu'ils sont les êtres les plus
extrêmement exagérés que je connaisse.

le 31

Aujourd'hui, pour la première fois de sa vie, Salvador
Dali a ressenti a ressenti cette euphorie angélique : il a
augmenté de poids.
Le matin, j'ai été réveillé par le battement des ailes d'un

1. Dali a noté, en marge de son journal, que le même embarras gastrique
l'avait saisi, à la même date, neuf ans plus tard. Neuf est, rappelons-le, le chiffre
cubique par excellence.

pigeon qui est entré dans notre chambre par la cheminée. Ce phénomène n'est pas dû seulement au hasard. C'est le signe que les gargouillis de mon ventre se sont réellement déjà extériorisés. Les roulades des oiseaux confirment mon intuition : je commence à m'écouter au-dehors au lieu de continuer à m'écouter au-dedans.

Le moment est venu où Gala et moi allons nous bâtir un « dehors ». Chez les anges tout est « au-dehors ». On ne les conçoit plus que par leurs « dehors ».

Le dermo-squelette de l'âme de Dali débute aujourd'hui.

Daisy Fellowes accompagné d'un milord aux pantalons d'un beau rouge achetés à Arcachon, est venu dîner[1].

---

1. Neuf ans après encore, Dali devait noter d'une tout autre écriture en marge de son journal : « Synchroniquement, je décide cette année 62 de construire des murailles contenant des machines cybernétiques, mon cerveau ne pouvant plus tenir ni dans ma tête ni dans ma maison. Je les bâtirai hors de ma maison. Au lieu du roucoulement intestinal des années 53, c'est mon cerveau, dont les circonvolutions ont pris des allures intestinales, qui fonctionnera. »

SEPTEMBRE

Septembre septembrera sourires et corpuscules de Gala. « Corpus hypercubicus » octobrera. Mais — et surtout — c'est le mois de septembre qui doit hypergalatérer.

Je peins la partie haute de la poitrine du Christ. Je reste presque à jeun pendant ce travail. J'ingurgite juste un peu de riz. L'été prochain, je me ferai un costume hyper-blanc pour peindre. Je deviens de plus en plus propre. Je finirai par ne m'autoriser que l'odeur sublime et presque imperceptible de mes pieds mêlée à celle du jasmin derrière mon oreille.

Je m'améliore. Je trouve de nouvelles ressources techniques.

Cet après-midi, je n'ai pas voulu recevoir un monsieur inconnu, mais sortant de la maison pour goûter le crépuscule sur Port Lligat, je trouve ce monsieur qui attendait toujours dans l'espoir de me voir quand même. Je lui parle et apprends qu'il est, de son métier, pêcheur de baleines. Aussitôt, dans la seconde même, j'exige qu'il m'envoie plusieurs vertèbres de ce mammifère. Il a promis de le faire avec la plus extrême diligence.

Ma capacité à profiter de tout est illimitée. En moins d'une heure, j'ai compté soixante-deux applications différentes pour ces vertèbres de baleines : un ballet, un film, un tableau, une philosophie, une décoration thérapeutique, un effet magique, un procédé hallucinatoire, lilliputien et psychologique à cause de ses soi-disant phantasmes de grandeur, une loi morphologique, des proportions en dehors de la mesure humaine, une nouvelle manière de pisser, une brosse. Tout cela en forme de vertèbre de baleine. J'essaye encore de reconstituer le souvenir olfactif d'une baleine pourrie que je suis allé voir à Puerto de Llansa[1] quand j'étais enfant, et au moment où je retrouve cette odeur, je vois au fond de mes yeux fermés, en plein état hypnagogique, une forme qui peu à peu représente une espèce d'Abraham sacrifiant son fils. Cette forme est couleur gris baleine, comme si elle avait été taillée dans la chair même du cétacé.

Je m'endors sur un air de *La Belle Hélène*. La Belle Hélène et la baleine se mêlent phonétiquement dans mon subconscient.

le 3

Le comte de G., protagoniste dalinien typique, disait : les bals on les donne pour ceux que l'on n'invite pas. Bien que j'aie reçu plusieurs télégrammes me suppliant de venir au bal du marquis de Cuevas, je reste à Port Lligat, mais les journaux, toujours attentifs et précis, n'en remarquent

---

1. Petit port au nord de Cadaquès, sur la Costa Brava.

pas moins ma présence à Biarritz. Les bals les plus réussis sont ceux dont on parle le plus sans y être allé. L'œuf sur le plat sans le plat du bal sans Dali, c'est Dali.

Le soir, Gala tombe en admiration devant mes tableaux. Je me couche heureux. Heureux tableaux de notre vie chimérique réelle. Cher Septembre, les beaux tableaux nous embellissent. Merci Gala ! C'est grâce à toi que je suis peintre. Sans toi, je n'aurais pas cru à mes dons ! Donne-moi la main ! C'est vrai que je t'aime de plus en plus...

le 4

Tandis que je parle avec un pêcheur qui me dit son âge, je crois tout d'un coup avoir cinquante-quatre ans[1]. J'en suis angoissé pendant toute la durée de ma sieste, puis je me raconte que je compte peut-être à l'envers ! Je me souviens même que, après la publication de ma vie secrète, mon père m'avait dit que je m'étais ajouté un an. Il est donc possible que je n'aie, en réalité, que quarante-huit ans ! Ces années — cinquante-trois, cinquante-deux, cinquante et un, cinquante, quarante-neuf — de gagnées me sont d'un grand réconfort, et du coup je peins encore mieux que je m'y attendais la poitrine du « Corpus hypercubicus ». Maintenant, je vais appliquer une nouvelle technique : être heureux de tout ce que je fais et rendre Gala heureuse, afin que tout soit mieux pour nous. Nous allons travailler plus que jamais !

Tous les problèmes, et vous cheveux blancs reculez !
Je suis l'outil fou et sans le plat et sans l'œuf !

---

1. Dali, né en 1904, avait en réalité donc quarante-neuf ans.

le 5

Dans l'année qui vient, je serai le peintre le plus fini et le plus *vite* du monde.

Un moment, j'ai cru que l'on pouvait peindre avec de la peinture semi-opaque très liquide, mais c'est faux. La peinture liquide est mangée par l'ambre et tout devient jaune.

le 6

Chaque matin, au réveil, j'expérimente un plaisir suprême qu'aujourd'hui je découvre pour la première fois : celui d'être Salvador Dali, et je me demande, émerveillé, ce que va encore faire de prodigieux aujourd'hui ce Salvador Dali. Et chaque jour, il m'est plus difficile de comprendre comment les autres peuvent vivre sans être Gala ou Salvador Dali.

le 7

Dimanche hypersphérique. Gala et moi, nous allons avec Arturo, Joan et Philips jusqu'à Portolo. Nous débarquons dans l'île Blanca[1]. C'est le plus beau jour de l'année.

Galatea qui est la galanymphe de la géologie marine pure et gigantesque prend forme lentement mais inéluctablement dans l'élan raphaélesquenucléaire de mon prochain et sublime tableau.

---

1. Petite île au large du cap de Creus.

Le soir, un photographe de Paris vient me voir. Il me dit que Joan Miró a déçu tout le monde. Il abuse trop des coups sur la toile ainsi que du fer à repasser les couleurs. Les abstraits se comptent par milliers. Picasso a beaucoup vieilli en quelques mois.

Le temps est de plus en plus beau. Avant que nous nous endormions, Galatea mange une grande hyperamande de hareng ! Ce dimanche devait finir aussi avec un immense œuf de sucre marin géologique, purement raphaélesque, galatéen et dalinien, pendant qu'à Paris la merde artistique surexistentialiste bat son plein déclin.

le 8

Je peins enfin d'une façon des plus satisfaisantes le visage de Gala.

le 9

J'ai travaillé au drapage jaune avec la plus grande décision.

Le soir sont venus dîner Margarita Alberto, Dionisio et sa femme. Gala portait un collier de corail. Margarita nous a raconté le bal du marquis de Cuevas, et l'incident entre le prince d'Irlonda et le roi de Yougoslavie. Puis nous avons parlé de la mort. Seule Gala n'en a pas peur. Elle se soucie seulement, uniquement de savoir comment je vivrais si elle n'était plus auprès de moi. Dionisio, très confus, a récité clairement, un passage de *La vie est un songe* de Calderon. Il a la vague idée, peut-être même la velléité d'en être l'auteur, de même qu'il se prend pour une réminiscence de José Antonio.

Comme nous nous couchons très tard, je ne m'endors pas, ce qui me donne du courage pour peindre de nouveau, le lendemain, le bras du « Corpus hypercubicus ». La visite de mes amis a été comme de douces ombres d'automne. De plus en plus, tout s'efface autour de Gala et de Salvador Dali. Nous serons bientôt les uniques êtres réels et transcendants de notre époque. Dionisio a fait un portrait à l'huile de moi déguisé en Chinois.

Le bal Cuevas a passé comme une ombre de fantômes déguisés. Seuls Gala et Dali sont déguisés par une mythologie déjà indestructible. Je nous aime tellement tous les deux...

Interdiction de jamais représenter un paillasse[1].

le 10

Souviens-toi de cela... Mouille avec de l'ambre en pressant très fort, de l'ambre bien dissous dans l'essence térébenthine. Ton erreur aujourd'hui était d'avoir mis trop d'ambre. Avec le liquide, il faut imprégner un petit pinceau très long et très effilé. Tu couvriras ton tableau sans faire de taches, car ce qui tache c'est l'excès de matière qu'il est difficile de reprendre sur les bords. Tandis que le liquide tu le limiteras comme tu le veux. Pour peindre les parties fortes il faut des couleurs plutôt liquides, pour les touches suprêmes très liquides...

Le temps a changé. Il a plu un peu et il vente. La bonne prépare un galateau devant moi. Je suis à la veille de tout savoir pour peindre prodigieusement. Bientôt, tous s'exclameront : « Ce que peint Dali est prodigieux ! » Je le

---

1. « Ris donc paillasse » est le titre d'un essai en préparation depuis des années. Dali entend y montrer que le mécanisme qui déclenche le mieux le rire et l'émotion des spectateurs est celui du clown qui reçoit un coup moral ou physique sur la tête. Voir la fin de *L'Ange bleu*.

devrai à la patience et à l'équilibre que me dispense Gala, ainsi qu'au « Corpus hypercubicus » et aux testicules de Phidias dans lesquels je vois des valeurs suprêmes.

le 11

Je retravaille à la cuisse gauche. De nouveau, en séchant, elle se tache. Il faut traiter la tache avec de la pomme de terre et repeindre carrément hypercubiquement, sans frottis ni scumblings.

le 12

Retravaillé la draperie jaune qui est de mieux en mieux. Aujourd'hui, une chose unique ! Pour la première fois dans ma vie, j'ai l'envie réelle, vitale, de visiter un musée de peinture.

le 13

Si j'avais bien peint toute ma vie, jamais je n'aurais pu être heureux. Maintenant, il me semble que je suis au même stade de maturité que Goethe arrivant à Rome et s'exclamant : « Enfin, je vais naître ! »

le 14

Quatre-vingts jeunes filles demandent que je me montre à la fenêtre de mon atelier. Elle m'applaudissent et je leur envoie un baiser. Je me sens le plus sublime des Charlot si celui-ci avait été sublime. Je me retire de la fenêtre, la tête pleine de réflexions qui ne sont pas nouvelles : « Comment peut-on faire pour savoir enfin peindre très bien ! »

le 15

Eugenio d'Ors, qui n'est pas revenu à Cadaquès depuis cinquante ans, vient me rendre visite entouré d'amis. Il est attiré par le mythe de la Lydia de Cadaquès[1]. Il sera sans doute possible que nos deux livres sur le même sujet paraissent simultanément. En tout cas, le sien vaguement esthète et pseudo-platonicien ne pourra que faire briller les arêtes réalistes et hypercubiques de ma « bien plantada ».

le 16

On me réveille tard. Il pleut fort et il fait si sombre que je ne pourrai pas peindre. Je réalise l'échec technique de ce mois de septembre. Pendant que je peignais mieux que jamais les draperies, en revanche, par un désir chimérique de perfection absolue, j'ai essayé de peindre presque sans peinture des surfaces saturées d'ambre. Je voulais arriver à la maîtrise la plus totale ; au maximum de quintessence de dématérialisation. Le résultat a été désastreux. Pendant une heure, le morceau peint était sublime mais en séchant l'ambre absorbait la partie colorée et tout devenait couleur d'ambre foncé et se couvrait de taches. Cet assombrisse-

---

1. Dans *La Vie secrète*, Dali a raconté l'histoire de cette matrone catalane qui le recueillit avec Gala quand il fut chassé de la maison de son père. Lydia, la bien plantée, cultivait un amour imaginaire pour Eugenio d'Ors qu'elle avait entr'aperçu une fois dans sa jeunesse.

ment de mon « Corpus hypercubicus » a trouvé sa syn-chronisation dans l'orage de plomb de ce 16 septembre. Il a assombri ma vie pour un après-midi. Mais vers le soir, j'ai pris conscience de l'origine originalissime de mes erreurs. Je savoure ces erreurs. Gala sait que tout peut s'arranger très simplement, en frottant avant de repeindre avec une pomme de terre. Ma volupté est de découvrir toutes les vérités de ma technique picturale grâce à mon échec épisodique et momentané. Quelques instants encore, je goûte mon péché d'absolu, puis je demande qu'on m'apporte une chose à la fois très relative et très réelle, une pomme de terre pour appeler ça par son nom. Et au moment où je vois qu'on la pose sur ma table, je pousse un soupir comme Goethe. Enfin, je vais naître !

C'est bien de commencer à naître par un vilain jour d'orage !

le 17

Je peins les draperies et l'ombre des bras. Au Mexique, un homme vient de mourir à cent cinquante ans, laissant un orphelin de cent un ans. J'aimerais tellement dépasser cet âge ! J'attends toujours des sciences particulières (et Dieu aidant bien sûr !) un prolongement substantiel de la vie. En attendant « commencer à naître », comme cela m'est arrivé hier, est déjà une façon de durer. Persistance de la mémoire, montre molle de ma vie, me reconnais-tu[1] ?

Gala est partie pour Barcelone avec Joan. Nous allons

---

1. Allusion à un tableau très célèbre de Dalí, propriété de Mr. et Mrs Rey-nold Morse dont l'auteur a donné la définition suivante : « Après vingt ans d'immobilité totale, les montres molles se désintègrent dynamiquement pen-dant que les chromosomes continuent le devenir héréditaire des gènes de mes atavismes prénatals arabes. »

pêcher dans le ciel crépusculaire des chauves-souris, armés de longs bâtons aux extrémités desquels nous avons accroché des chaussettes de soie noire, les chaussettes des grands soirs de New York.

Bonsoir Gala, je vais toucher du bois pour que rien ne t'arrive de mauvais. Tu es moi, tu es la prunelle de mes yeux et de tes yeux.

le 18

Un électricien est monté voir mon « Corpus hypercubicus ». Après un silence interdit, il s'est exclamé : « Cristu ! » En catalan, c'est l'équivalent d'un juron superlatif, catégorique et accablant !

le 19

Je peins un grand morceau de draperie avec plus de sûreté que jamais, et je dessine le linge destiné à recouvrir le sexe de mon « Corpus hypercubicus ». Tout cela malgré de vicieuses interruptions du courant électrique.

le 20

Je peins la supra-peinture du cube avec son ombre gauche. Le soir, je peins le dessin de la veille, c'est-à-dire le linge qui cache le sexe du « Corpus hypercubicus » Je suis au lit. Gala est partie pêcher des crevettes avec des amis.

le 21

J'ouvre un vieux numéro daté de 1880 de *La Nature* et lis une histoire cent pour cent dalinienne. Un avaleur de sabres et de lames s'est montré indisposé par une fourchette, tombée dans son estomac au cours d'une réunion avec des amis. Un certain docteur Polaillon la lui retire après une opération spectaculaire. L'histoire serait deux cents pour cent dalinienne si la fourchette était une merde. Je la corrige en ce sens avec le maximum de concret, respectant toutes ses minuties exaspérantes :

« Une très intéressante communication a été faite à l'Académie de Médecine, par le docteur Polaillon dans la séance du 24 août dernier. Nous en donnons ici quelques extraits :

J'ai l'honneur de présenter à l'Académie une merde que j'ai retirée hier par la taille stomacale. Le nommé Albert C..., âgé de vingt-cinq ans, exerçant la profession de bateleur, exécutait spécialement des tours scatologiques avec une amie arabe. Le 8 août dernier étant à Luchon, il s'amusait avec des amis à avaler des merdes sèches de toutes sortes. Une de celles-ci resta bloquée dans son œsophage, étant sur le point de suffoquer, il fit une profonde inspiration et s'évanouit. Ayant repris haleine, il chercha à plusieurs reprises à saisir la merde en enfonçant profondément les doigts dans le pharynx. Mais il ne put y parvenir. La merde descendit peu à peu dans l'œsophage et pénétra dans l'estomac. Il eut seulement quelques crachats sanguinolents dus à des excoriations de muqueuses pharyngiennes à œsophagiennes, et le lendemain il continua ses exercices scatologiques. Au bout de quelques jours, il éprouva de la gêne au creux épigastrique, et consulta plusieurs médecins. Le docteur Lavergne l'engagea à venir à Paris et eut l'obligeance de me l'adresser. Il entra dans mon service de la Pitié le 14 août, six jours après son accident.

Albert C... a une taille au-dessus de la moyenne. Il est bien musclé, quoique ses membres soient assez grêles. Son ventre est aplati, sans aucune surcharge graisseuse, et on voit se dessiner sous la peau les saillies et les méplats des muscles abdominaux, le sexe est extrêmement petit mais ignoble de satisfaction. Il explique très bien que la merde a pénétré dans son estomac par son extrémité arrondie, et qu'il la sent à la partie supérieure du ventre. D'après lui, elle est placée obliquement suivant une ligne qui passerait un peu au-dessus de l'ombilic et qui se dirigerait de gauche à droite et de bas en haut ; son extrémité piquante serait profondément cachée dans l'hypocondre gauche, et son extrémité arrondie logée un peu au-dessous et en dehors de l'ombilic dans la région hypocondriaque droite.

Cette merde est extraordinairement dure et de grande dimension. Le malade a remarqué qu'il souffrait lorsque son estomac était vide. Aussi est-il obligé de manger très souvent pour diminuer ses douleurs. Les fonctions stomacales et intestinales se font, d'ailleurs, normalement. Il n'y a eu ni crachement de sang, ni vomissement...

L'introduction de la sonde œsophagienne avec alène métallique ne nous donna point de résultat. Cette sonde, imaginée par M. Collin, est destinée à transmettre à l'oreille de l'explorateur un bruit très distinct dès que son alène vient à toucher un corps étranger situé dans l'estomac. Comme cet instrument ne nous avait fait rien entendre, nous conçûmes quelques doutes sur l'existence d'une merde dans l'estomac. Ces doutes paraissaient confirmés par le malaise et l'angoisse que l'introduction de la sonde œsophagienne procurait au patient. Il nous paraissait invraisemblable qu'un homme habitué à avaler de la merde supportât avec autant de peine le passage d'une petite sonde œsophagienne.

Pour dissiper mes doutes, j'eus recours à M. Trouvé qui, avec sa complaisance bien connue, fit construire une sonde œsophagienne d'après le principe de son stylet avec sonnerie électrique pour révéler la présence du corps merdeux dans les tissus. Au moment où l'extrémité de cette sonde pénétra dans l'estomac, un de mes internes, M. Trouvé et moi, entendîmes le bruit révélateur de la pile électrique pendant une fraction de seconde. Mais ce bruit, qu'il fut impossible de reproduire, avait été si fugitif que ma conviction n'était pas faite.

Les explorations suivantes imaginées par M. Trouvé éclairèrent complètement le diagnostic :

1° Une aiguille aimantée d'une extrême délicatesse s'orientait vers la région stomacale du malade, lorsque ce dernier s'approchait d'elle. Le malade faisait-il quelques mouvements, l'aiguille aimantée suivait ces mouvements.

2° Un gros électro-aimant placé à quelques millimètres de la paroi abdominale déterminait tout à coup, lorsqu'on faisait passer le courant électrique, une petite voussure de la peau comme si un corps intra-abdominal se précipitait vers l'électro-aimant.

Suspendait-on l'électro-aimant à une corde, de manière à ce qu'il fût placé en face de l'estomac de notre homme, on voyait l'électro-aimant osciller et s'appliquer sur la peau toutes les fois qu'on établissait le passage du courant.

Ces curieuses expériences indiquèrent clairement qu'un corps étranger en merde existait à la partie supérieure de la cavité abdominale.

En rapprochant cette notion expérimentale, positive, du dire et des sensations du patient, de nos explorations par le palper abdominal et par l'introduction de la sonde œsophagienne électrique, nous acquîmes la certitude de la présence d'une merde sèche dans l'estomac.

Le diagnostic une fois acquis, restait la tâche d'extraire ce corps étranger. Comme les chirurgiens n'ont jamais réussi à retirer un corps étranger aussi volumineux avec des pinces ou d'autres instruments introduits par l'œsophage, je ne m'arrêtai pas à faire des tentatives dans ce sens et je me déterminai à pratiquer la taille stomacale.

L'opération de la taille stomacale, faite conformément aux principes préconisés par M. le docteur Labbé, a été exécutée le 23 août, et la merde a été retirée de l'estomac : M. le docteur Polaillon a introduit d'ailleurs quelques simplifications dans le mode opératoire.

A la suite de cette communication, M. le baron **Larrey** a rappelé que la taille stomacale a été opérée très ancienne-ment et que, dans un vieux livre, il se rappelait avoir trouvé le fait d'une merde qui avait été avalée par une jeune fille. Quelques mois après, la merde avalée faisait une saillie à l'épigastre, et c'est en se guidant sur cette saillie que le chirurgien incisa la paroi abdominale, et stomacale, arriva sur la merde et put l'extraire. »

À la surface come trump il y a. Willy se soleniturer à rapide que la terre... entr'acte vers arcade...? ange comment et que c'a... du vient... la crête, elfin rêvais... frame le bat d'une tête là q... ci... la... aerbie? et une celante Vie. On hippos rues... ag... la... mobrume ideo fauné... une caillse à l'entestre... se... e... qu'ur qu'i long su'e me Saulite... en fabustles... vero... à l'abri... thégninale à ...gl ... emmandile carte suit à voirs le dine exeunte...

1954

1.

1. Malgré les apparences, cette année 1954 n'est pas creuse. C'est au contraire, l'une des plus occupées de la vie de Dali. Il écrit d'abord une pièce en trois actes : « Délire érotique mystique » avec trois personnages. Ce drame lyrique d'un érotisme verbal truculent ne pourra être joué que dans la plus stricte intimité comme on s'en doute. Dali écrit également « Les 120 journées de Sodome du divin marquis à l'envers » et il commence son film : « Histoire prodigieuse de la dentellière et du rhinocéros. »

1955

DÉCEMBRE

Apothéose dalinienne hier soir dans le temple du Savoir devant une foule fascinée. A peine arrivé dans ma Rolls bourrée de choux-fleurs, salué par les milliers de flashes des photographes, j'ai pris la parole dans le grand amphithéâtre de la Sorbonne. L'assistance frémissante attendait des paroles décisives. Elle les a eues. J'avais décidé de faire connaître la communication la plus délirante de ma vie à Paris parce que la France est le pays le plus intelligent du monde, le pays le plus rationnel du monde. Tandis que moi, Salvador Dali, je viens de l'Espagne qui est le pays le plus irrationnel et le plus mystique du monde... Des applaudissements frénétiques ont accueilli ces premiers mots, personne n'étant plus sensible que les Français aux compliments. L'intelligence, ai-je dit, ne nous fait déboucher que dans le brouillard des nuances du scepticisme, qu'elle a pour principal effet de réduire pour nous à des coefficients d'une incertitude gastronomique et supergélatineuse, proustienne et faisandée. C'est pour ces raisons qu'il est bon et nécessaire que, de temps à autre, des Espagnols comme Picasso et moi, nous venions à Paris pour mettre sous les yeux des Français un morceau cru et saignant de vérité.

Ici, il y a eu des remous divers comme je les attendais. J'avais gagné !

Alors j'ai dit tout d'une traite : Un des derniers plus importants peintres modernes a certainement été Henri Matisse, mais Matisse représente exactement les dernières conséquences de la Révolution française, c'est-à-dire le triomphe de la bourgeoisie et du goût bourgeois. Tonnerre d'applaudissements ! ! ! ! ! !

J'ai continué : Les conséquences de l'art moderne contemporain, c'est qu'on est arrivé au maximum de rationalisation et au maximum de scepticisme. Aujourd'hui, les jeunes peintres modernes ne croient à RIEN. Il est tout à fait normal que quand on ne croit à rien, on finisse par ne peindre à peu près rien, ce qui est le cas de toute la peinture moderne y compris la peinture abstraite, esthéticienne, académique, à l'unique exception d'un groupe de peintres américains de New York, qui, par manque de tradition et grâce à un paroxysme instinctif, est tout proche d'une nouvelle croyance prémystique qui prendra corps lorsque le monde aura enfin conscience des derniers progrès de la science nucléaire. En France, au pôle diamétralement opposé de l'école de New York, je ne vois qu'un seul exemple à citer, c'est celui de mon ami, le peintre Georges Mathieu qui, à cause de ses atavismes monarchiques et cosmogoniques, a pris l'attitude la plus contraire à l'académisme de la peinture moderne.

Ici encore des bravos intenses ont souligné mes révélations. Il me restait à leur assener la communication pseudo-scientifique que je méditais. Bien sûr, je ne suis pas un orateur, ni même un homme de science, mais l'assistance devait compter des savants et surtout des morphologues qui jugeraient du caractère créatif et valable de mon délire.

A l'âge de neuf ans, ai-je raconté, je me trouve à Figueras, dans ma ville natale, à peu près nu dans la salle à manger. J'appuie mon coude sur la table, et je dois simuler le sommeil pour qu'une jeune servante puisse m'observer. Sur la table, il y a des croûtes de pain sec qui entrent douloureusement dans la chair de mon coude[1]. La douleur correspond à une espèce d'extase lyrique qui avait été précédée par le chant d'un rossignol. Ce chant m'avait bouleversé jusqu'aux larmes. Aussitôt après, j'ai été obsédé d'une façon vraiment délirante par le tableau de la Dentellière de Vermeer dont une reproduction était accrochée dans le bureau de mon père. Par la porte restée entrouverte, j'apercevais cette reproduction et je pensais en même temps à des cornes de rhinocéros. Mon illusion fut jugée délirante par mes amis plus tard, mais elle est vraie et, jeune homme, il m'arriva de perdre dans Paris une reproduction de la Dentellière. J'en ai été malade et n'ai pu manger, tant que je n'en ai pas retrouvé une autre...

Toute l'assistance m'écoutait haletante. Je n'avais plus qu'à continuer et à expliquer comment ma préoccupation constante pour Vermeer et surtout pour sa Dentellière a abouti à une décision capitale. J'ai demandé au musée du Louvre la permission de peindre une copie de ce tableau. Et un matin, je suis arrivé au Louvre, pensant aux cornes de rhinocéros. A la grande surprise de mes amis et du Conservateur en Chef, on vit se dessiner sur ma toile des cornes de rhinocéros.

Le halètement de l'assistance s'est transformé en un rire énorme aussitôt étouffé par les applaudissements.

Il faut dire, ai-je conclu, que je m'en doutais un peu.

Alors, on a projeté sur un écran une reproduction de la Dentellière et j'ai pu montrer ce qui me bouleverse le plus dans ce tableau : tout converge exactement vers une aiguille qui n'est pas dessinée mais qui est juste suggérée. Et l'acuité de cette épingle, je l'ai sentie très réelle dans ma propre chair, dans mon coude quand, par exemple, je me réveille en sursaut au milieu des plus paradisiaques siestes. La Dentellière a jusqu'ici été considérée comme un tableau très paisible et très calme, mais, pour moi, il est

1. Dali a souvent précisé que toutes ses émotions importantes rentrent chez lui par le coude. Jamais par le cœur !

possédé par une force esthétique des plus violentes, à laquelle seulement l'antiproton que l'on vient de découvrir peut être comparé.

J'ai demandé ensuite à l'opérateur de projeter sur l'écran la reproduction de ma copie. Tous se sont levés, applaudissant et criant : « C'est mieux ! C'est évident ! » J'ai expliqué que jusqu'à cette copie, je ne comprenais à peu près rien à la Dentellière et qu'il m'a fallu vivre tout un été, en travaillant la question, pour me rendre compte que j'avais tracé d'instinct des courbes rigoureuses et logarithmiques. La collision des petites croûtes de pain, de corpuscules, rend de nouveau visible l'image de la Dentellière. Postérieurement, je crus que je devais continuer le tableau : mes idées rhinocérontiques étaient tellement évidentes que j'ai envoyé un télégramme à mon ami Mathieu, en lui disant : « Cette fois-ci, pas de musée du Louvre. Il faut que j'aille devant un rhinocéros vivant. »

Pour détendre l'atmosphère et ramener sur terre mon public qui commençait d'avoir le vertige, j'ai fait passer une photo de Gala et de moi, nous baignant dans l'eau à Cabo Creus en compagnie d'un des portraits de la Dentellière. Les cinquante autres portraits étaient disséminés dans mon olivette, m'invitant chaque instant à de nouvelles réflexions sur ce problème dont les significations sont infinies, en même temps que j'approfondissais mon étude de la morphologie du tournesol dont Léonard de Vinci avait déjà tiré des conclusions extrêmement intéressantes pour son époque. Cet été 1955, j'ai découvert que dans les entrecroisements des spirales qui forment le tournesol, il y a évidemment le galbe parfait des cornes de rhinocéros. Maintenant les morphologues ne sont pas du tout certains que les spirales du tournesol soient de vraies spirales logarithmiques. Elles en approchent, mais il y a des phénomènes de croissance qui font qu'on n'a jamais pu les mesurer avec une exactitude rigoureusement scientifique, et les morphologues ne sont pas d'accord pour affirmer que ce sont ou non des spirales logarithmiques. En revanche, j'ai pu assurer hier au public de la Sorbonne, qu'il n'y a jamais eu dans la nature un exemple plus parfait de spirales logarithmiques que celui du galbe de la corne de rhinocéros. Continuant mon étude du tournesol et sélectionnant et suivant toujours les courbes plus ou moins logarithmiques, il m'a été facile de distinguer la silhouette très visible de la Dentellière, sa coiffure, son coussin, un peu dans le style d'un tableau divisionniste de Seurat. Dans chaque tournesol, j'ai réalisé peut-être une quinzaine de Dentellières différentes, les unes plus proches que les autres du tableau original de Vermeer.

C'est pourquoi, ai-je continué la première fois où j'ai vu, face à face, une photo de la Dentellière et un rhinocéros vivant, je me suis rendu compte que s'il devait y avoir lutte, c'est la Dentellière qui l'emporterait, car la Dentellière est, morphologiquement, une corne de rhinocéros.

Rires et applaudissements ont salué cette première partie de ma conférence. Je n'avais plus qu'à faire voir à mon public le pauvre rhinocéros portant sur le bout du nez une toute petite Dentellière, tandis que la Dentellière elle-même était une immense corne de rhinocéros possédée du maximum de force spirituelle parce que loin d'avoir la bestialité du rhinocéros, elle était en plus le symbole de la monarchie absolue de la chasteté. Une toile de Vermeer est exactement le contraire d'une toile d'Henri Matisse prototype exemplaire de la faiblesse parce que, malgré ses dons, sa peinture n'est pas chaste comme celle de Vermeer qui ne touche pas l'objet. Matisse violente la réalité, la transforme et la réduit à une proximité bacchique.

Toujours soucieux de ne pas laisser mon auditoire se complaire dans des réflexions autres que les miennes, j'ai fait projeter une image de mon Christ hypercubicus, montrant ainsi à tous un tableau à peu près normal dans lequel mon ami Robert Descharnes qui, actuellement, réalise un film intitulé : « Histoire prodigieuse de la Dentellière et du rhinocéros », a analysé le visage de Gala évidemment formé par dix-huit cornes de rhinocéros...

Cette fois, ce ne sont plus des bravos qui ont salué ma péroraison, mais de véritables hourrahs, renouvelés encore quand j'ai ajouté que des personnes ont vu un rapport eucharistique évident entre le pain et les genoux du Christ, aussi bien au point de vue de la matière que de la morphologie des formes. Toute ma vie, j'ai été obsédé par le pain que j'ai peint un nombre incalculable de fois. Si on analyse certaines courbes du Corpus hypercubicus, on y retrouve encore le galbe quasi divin de la corne de rhinocéros, base essentielle de toute esthétique chaste et violente. Les mêmes cornes, ai-je démontré en indiquant l'écran où l'on projetait mon tableau des montres molles, se retrouvent déjà dans cette première œuvre dalinienne.

— Pourquoi sont-elles molles ? a demandé un auditeur.

— Molles ou dures, ai-je répondu, ça n'a aucune importance. L'important est qu'elles donnent l'heure exacte. Dans mon tableau, il y a des symptômes de cornes de rhinocéros qui se détachent et font allusion à la dématérialisation constante de cet élément se transformant de plus en plus chez moi en un élément nettement mystique.

Non, certes, la corne de rhinocéros n'est pas d'origine romantique ou dionysiaque. Au contraire, elle est apollonienne comme je l'ai découvert dans Raphaël en étudiant la forme du cou de ses portraits. Par des analyses, j'ai découvert que tout est composé de cubes et de cylindres. Raphaël peignait uniquement avec des cubes et des cylindres, des formes semblables aux courbes logarithmiques décelables dans les cornes de rhinocéros.

Pour confirmer mes dires, on a projeté l'image d'une copie exécutée par moi d'un tableau de Raphaël, visiblement influencé par mes obsessions rhinocérontiques. Ce tableau — une crucifixion — est un des plus grands exemples d'organisation conique d'une surface. Il ne s'agissait pas, comme je l'ai précisé, de la corne de rhinocéros telle qu'elle est dans Vermeer (où elle a une puissance beaucoup plus grande), non il s'agit de la corne de rhinocéros qu'on pourrait appeler néo-platonicienne. Un graphique a été tiré de ce tableau dans lequel on voit la chose essentielle, c'est-à-dire un plan dans lequel toutes les figures sont réparties d'après la divine proportion monarchique de Lucas Pacelli qui utilise constamment en esthétique le mot « monarchie » parce que les cinq corps réguliers sont entièrement gouvernés par la monarchie absolue des sphères.

De nouveau, mon auditoire haletait. Je devais lui assener d'autres vérités toutes crues. On projeta la photo d'un cul de rhinocéros que j'avais très subtilement analysé récemment, pour découvrir que ce n'était rien d'autre qu'un tournesol plié en deux. Le rhinocéros ne se contente pas de porter une des plus belles courbes logarithmiques sur la pointe du nez, mais encore dans son derrière il porte une espèce de galaxie de courbes logarithmiques en forme de tournesol.

Des hurlements, des bravos ont éclaté. J'avais tout mon public en main : nous étions en plein dalinisme. C'était le moment de prophétiser.

Après l'étude morphologique du tournesol, ai-je dit, j'ai senti que ses points, ses courbes et ses ombres avaient un air taciturne qui correspond très précisément à la mélancolie profonde de Léonard de Vinci en personne. Je me suis posé la question : n'était-ce pas trop mécanique ? Le masque de dynamisme du tournesol m'empêchait de voir la Dentellière dans le tournesol. J'étudiais la question lorsque je suis tombé par hasard sur la photo d'un chou-fleur... Révélation : le problème morphologique du chou-fleur est identique à celui du tournesol en ce sens qu'il est constitué lui aussi par de vraies spirales logarithmiques. Mais les floraisons ont une espèce de force expansive, presque une force atomique. Un bourgeonnement de tension semblable à ce front têtu et méningitique que j'aime si passionnément dans la Dentellière. J'étais venu à la Sorbonne dans une Rolls bourrée de légumes, mais la saison ne se prête pas à des choux-fleurs géants. Il faut attendre mars prochain. Le plus grand que je trouverai, je vais l'éclairer et le photographier sous un certain angle. Alors — et j'en ai donné ma parole d'honneur d'Espagnol — la photo une fois développée, tout le monde y verra une Dentellière avec la propre technique de Vermeer.

Une véritable frénésie s'est emparée de la salle. Il ne me restait plus qu'à leur raconter quelques anecdotes. J'ai choisi celle de Gengis Khan. On m'a signalé que Gengis Khan avait, un jour, entendu chanter le rossignol dans un endroit paradisiaque où il voulait être enterré, et le lendemain il avait vu en rêve un rhinocéros blanc aux yeux rouges, un albinos. Considérant ce rêve comme un présage, il renonça à la conquête du Tibet. N'est-ce pas d'une grande analogie avec mon souvenir d'enfance qui, comme on s'en souvient, commence aussi par le chant du rossignol précédant l'obsession de la Dentellière, des croûtons de pain et des cornes de rhinocéros ? Et voilà qu'au moment où j'étudiais la vie de Gengis Khan, j'ai reçu de M. Michel Gengis Khan, secrétaire général permanent du Centre International d'Études esthétiques, la demande de cette conférence. Avec mon impérialisme congénital si caractérisé, c'était un vrai hasard objectif, remarquable.

Autre anecdote : il y a deux jours, se produisit un nouveau hasard objectif vivement bouleversant : je dînais avec Jean Cocteau[1] et lui racontais le sujet de ma conférence lorsque je le vis pâlir.

— J'ai un objet qui va t'éblouir...

Et devant l'assistance fascinée, au paroxysme de la curiosité, j'ai brandi l'« objet » : le flambeau avec lequel le boulanger de Vermeer allumait son four. Vermeer qui n'avait pas d'argent pour payer son boulanger lui donnait

---

1. Ici, vifs remous dans la salle.

en échange des tableaux et des objets, et le boulanger allumait son four avec cet objet de Delft qui contient l'oiseau et la corne qui n'est pas de rhinocéros mais qui est peut-être plus ou moins logarithmique quand même. C'est une pièce rarissime parce que Vermeer est un être très mystérieux. On ne connaît rien de lui que cet objet.

Mais la salle avait manifesté quand je parlais de Jean Cocteau et j'ai dû dire que moi j'adore les académiciens. Il suffisait de le dire pour que tout le monde applaudisse. J'adore les académiciens surtout depuis que l'un des plus illustres parmi les académiciens de l'Espagne, le philosophe Eugenio Montes, a dit une chose qui m'a beaucoup plu parce que je me suis toujours considéré comme un génie. Il a dit : « Dali est l'être le plus proche de l'Archangélique Raymondo Lullio. »

Un tonnerre d'applaudissements a salué cette citation.

D'un geste, j'ai calmé les bravos et ajouté : « Après ma communication de ce soir, je crois que, vraiment, pour avoir pu passer de la Dentellière au tournesol, du tournesol au rhinocéros, et du rhinocéros au chou-fleur, il faut vraiment avoir quelque chose dans le crâne. »

1956

MAI

Les journaux, la radio annoncent à grand fracas que c'est l'anniversaire de la fin de la guerre en Europe. Moi en me levant ce matin, sur le coup de six heures, l'idée m'a saisi que ce fut probablement Dali qui gagna la dernière guerre. Ce soupçon me ravit. Je n'ai pas connu personnellement Adolphe, mais, théoriquement, j'aurais pu le rencontrer dans l'intimité en deux occasions avant le Congrès de Nuremberg. A la veille de ce congrès, mon ami intime Lord Berners me demanda de signer mon livre *La Conquête de l'irrationnel* pour l'offrir personnellement à Hitler puisque celui-ci trouvait à ma peinture une atmosphère bolchevique et wagnérienne, en particulier dans ma manière de représenter les cyprès. Au moment de signer l'exemplaire que me tendait Lord Berners, je fus la proie d'une curieuse perplexité, et me souvenant des paysans analphabètes qui venaient dans l'étude de mon père et signaient d'une croix les documents qu'on leur présentait, je me contentai à mon tour de tracer une croix. J'eus conscience, ce faisant (comme d'ailleurs pour tout ce que je fais), que cela devait être très important, mais jamais, au grand jamais, je ne me doutais que c'était précisément ce signe-là qui provoquerait la sublime catastrophe hitlérienne. En effet, Dali, spécialiste en croix (le plus grand qui ait jamais existé), a réussi avec deux traits calmes à exprimer graphiquement, magistralement, que dis-je ? magiquement et de façon concentrée, la cinquième essence du contraire total de la svastika, la croix dynamique, nietzschéenne, gammée, hitlérienne.

J'avais dessiné une croix stoïque, la plus stoïque, la plus velasquézienne et la plus anti-svastikienne de toutes, la croix espagnole de la sérénité dionysiaque. Adolphe Hitler qui devait posséder des antennes passionnées de magie, bourrées d'horoscopes dut sans doute s'effrayer un long moment, jusqu'à sa mort dans le bunker de Berlin, de mon augure. Ce qui est certain, c'est que l'Allemagne malgré ses efforts surhumains pour être vaincue perdit la guerre et que ce fut l'Espagne qui, sans participer au conflit, sans rien faire, humainement seule, avec sa croyance dantesque et l'aide de Dieu, fut amenée à gagner, gagna, est en train de gagner et continuera de gagner spirituellement cette même guerre. Toute la différence avec l'Allemagne d'un Hitler masochiste est que, nous les Espagnols, nous ne sommes pas Allemands et que nous sommes même et un petit peu le contraire.

le 9

Je désanthropise le hasard. Je pénètre de plus en plus dans la mathématique contradictoire de l'univers. Ces deux dernières années, j'ai terminé quatorze toiles plus sublimes les unes que les autres. La Vierge et l'enfant Jésus éclatent sur tous mes tableaux. Là encore, j'applique la mathématique la plus rigoureuse : celle de l'archicube. Le Christ pulvérisé en huit cent quatre-vingt-huit éclats qui se fondent en un neuf magique. Maintenant je vais cesser de peindre avec ma prodigieuse minutie et mon immense patience. Vite, vite, je vais tout donner de moi-même, d'un coup, puissamment, avec gloutonnerie. On l'a bien vu quand un matin à Paris, je suis allé au Louvre peindre la Dentellière de Vermeer en moins d'une heure. J'ai tenu à la représenter entre quatre croûtons de pain comme si elle naissait d'une rencontre moléculaire selon le principe de mon continuum à quatre fesses. Tout le monde a vu un nouveau Vermeer.

Nous entrons dans l'ère de la grande peinture. Quelque chose s'est achevé en 1954 avec la mort de ce peintre d'algue tout juste bon à favoriser la digestion bourgeoise, je veux dire Henri Matisse, peintre de la révolution de 1789. C'est l'aristocratie de l'art qui renaît dans le délire. Des communistes aux chrétiens, tout le monde s'est prononcé contre mes illustrations du Dante. Ils ont cent ans de retard ! Gustave Doré avait, lui, conçu l'enfer comme une mine de charbon, moi je l'ai vu sous le ciel méditerranéen, avec une horreur exacerbée.

Maintenant approche le moment de mon film dont j'ai déjà longuement parlé dans mon journal : *La Brouette de chair*. Depuis que j'y pense, j'ai porté à la perfection son scénario : la femme amoureuse de la brouette vivra avec elle et un enfant beau comme un dieu. La brouette revêtira tous les attributs du monde.

le 10

Je suis en état d'érection intellectuelle permanente, et tout vient au-devant de mes désirs. Ma corrida liturgique prend corps. Beaucoup commencent à se demander si elle n'a pas déjà eu lieu. Des curés courageux s'offrent à danser autour du taureau, mais étant donné les très grandes conditions ibériques et hyperesthétiques de l'arène, la plus forte excentricité consistera à substituer à l'enlèvement plat et circulaire du taureau par les mules ordinaires, un enlèvement par élévation verticale grâce à un autogyre, instrument mystique par excellence et qui tire sa puissance de lui-même comme son nom l'indique. Pour exacerber encore plus le spectacle, il est nécessaire que l'autogyre emporte le cadavre très haut et très loin, sur la montagne de Montserrat par exemple pour que les aigles le dévorent afin que soit réalisée pseudo-liturgiquement une corrida comme on n'en a jamais vu.

J'ajoute que la seule manière totalement dalinienne (bien que légèrement plagiée de Léonard) de décorer les arènes, sera de dissimuler derrière la contrabarrera deux tuyaux qui prendront toutes sortes de formes (intestinales de préférence). A un moment donné, ces tuyaux se mettront en érection d'une façon truculente et apothéosique grâce à la pression d'un violent jet de lait bouillant et de préférence tourné.

Vive le mysticisme vertical espagnol qui, du sous-marin abyssal de Narcisse Monturiol[1], est monté verticalement au ciel grâce à l'hélicoptère !

le 11

Tous les ans — c'est régulier — un jeune homme demande à me voir pour me demander comment on fait pour réussir. A celui de ce matin, j'ai dit :

— Pour acquérir un prestige croissant et durable dans la société, il est bon, si vous possédez un grand talent, que dans votre toute première jeunesse, vous donniez à la société que vous aimez un coup de pied très fort dans la jambe droite. Ensuite soyez snob. Comme moi. Le snobisme vient chez moi de mon enfance. J'avais déjà de l'admiration pour la classe sociale supérieure qui se

1. Narcisse Monturiol, compatriote de Dali, né à Figueras et inventeur, dit-on, du sous-marin.

concrétisait à mes yeux en la personne d'une dame nommée Ursula Mattas. Elle était Argentine et j'en étais amoureux d'abord parce qu'elle portait un chapeau (on n'en portait pas dans ma famille) et qu'elle habitait au deuxième étage. Après l'enfance, le snobisme ne s'est pas borné au deuxième étage. J'ai toujours voulu être dans les étages les plus importants. Quand je suis venu à Paris, c'était une véritable obsession de savoir si je serais invité partout où je croyais qu'il fallait l'être. Une fois l'invitation reçue, le snobisme est instantanément soulagé, de la même façon que votre maladie est guérie dès que le médecin pousse la porte. Après, au contraire, très souvent je ne suis pas allé aux endroits où j'étais invité. Ou si j'y allais, je faisais un scandale qui me faisait tout de suite remarquer, puis je disparaissais instantanément. Mais, pour moi, le snobisme, surtout à l'époque du surréalisme, le snobisme était une véritable stratégie, parce que, à part René Crevel, j'étais le seul qui allât dans le monde et qui y était reçu. Les autres surréalistes ne connaissaient pas ce milieu, n'y étaient pas acceptés. Devant eux, je pouvais toujours me lever précipitamment et dire : « J'ai un dîner en ville », laissant supposer ou prévoir (on le savait le lendemain, et c'était encore mieux qu'ils l'apprennent par des intermédiaires) que c'était un dîner chez les Faucigny-Lucinge ou chez des gens qu'ils considéraient comme le fruit défendu puisqu'ils n'étaient pas invités par eux. Immédiatement après, lorsque j'arrivais chez les gens du monde, je pratiquais un autre snobisme encore beaucoup plus aigu. Je disais : « Il faut que je parte très tôt après le café pour voir le groupe surréaliste » que je leur présentais comme un groupe beaucoup plus difficile à atteindre que l'aristocratie, que tous les gens qu'ils connaissaient, puisque les surréalistes m'envoyaient des lettres d'insultes et trouvaient que les gens du monde étaient des cons qui ne comprenaient rien à rien... A ce moment-là le snobisme était de pouvoir dire tout d'un coup : « Écoutez, je pars pour la place Blanche où il y a une réunion très importante du groupe surréaliste. » Cela faisait un grand effet. D'un côté, j'avais les gens du monde, très curieux que je me rende là où ils ne pouvaient pas aller, et de l'autre côté les surréalistes. Moi, j'allais tout le temps là où les deux ne pouvaient aller. Le snobisme consiste à pouvoir se placer toujours dans les endroits où les autres n'ont pas accès, ce qui crée chez ces autres un sentiment d'infériorité. Dans tous les rapports humains, il y a une façon de dominer la situation complètement. C'était ma politique à l'égard du surréalisme. Il faut y ajouter une autre chose : j'étais incapable de participer aux potins de tout le monde, et je ne savais pas qui était brouillé avec qui. Comme le comique Harry Langdon, j'arrivais toujours dans un endroit où je n'aurais pas dû aller. Par exemple, les Beaumont étaient fâchés avec les Lopez à cause de moi et de mon film *L'Age d'or*. Tout le monde savait qu'ils étaient fâchés, et ne se saluaient ni se ne voyaient à cause de moi. Mais moi. Dali, imperturbable, j'allais chez les Beaumont, puis je me rendais chez les Lopez sans savoir rien de ces querelles, ou quand je le savais, je n'y prêtais pas la moindre attention. C'était la même chose entre Coco Chanel et Elsa Schiaparelli qui se livraient une guerre civile de la mode. Je déjeunais avec la première, prenais le thé avec la seconde et le soir dînais avec la première. Tout cela créait des grands remous de jalousie. Je suis une des rares personnes qui vivait dans les milieux les plus paradoxaux, les plus fermés les uns aux autres, qui y entrait ou en sortait à volonté. Je le faisais par pur snobisme, c'est-à-dire par frénésie d'être constamment en vue dans tous les milieux les plus inaccessibles.

Le jeune homme me regardait avec des yeux ronds de poisson.

— Qu'est-ce qu'il y a encore ? lui ai-je demandé.

— Ce sont vos moustaches. Elles ne sont plus les mêmes que le premier jour où je vous ai vu.

— Elles oscillent constamment et elles ne sont pas pareilles deux jours de suite. Maintenant, elles sont un peu décadentes parce que j'avais confondu d'une heure le moment de votre arrivée. Elles n'ont pas encore travaillé. Elles sortent vraiment du rêve, de la vie onirique.

A la réflexion, ces mots me parurent banals pour Dali et créèrent en moi une insatisfaction qui m'obligea à une invention unique. Je lui dis :

— Attendez !

Et je courus coller deux fibres végétales à la pointe de mes moustaches. Ces fibres ont la propriété rare de se rouler et dérouler continuellement. De retour, j'ai fait observer le phénomène au jeune homme. Je venais d'inventer les moustaches radar.

le 12

La critique est une chose sublime. Elle est digne seulement des génies. Le seul homme qui pouvait écrire un pamphlet sur la critique, c'était moi, parce que je suis l'inventeur de la méthode paranoïa-critique. Et je l'ai fait[1]. Mais là encore, comme pour ce journal, comme pour ma *Vie secrète*, je n'ai pas tout dit, et j'ai pris soin de garder en réserve des pommes pourries grenades explosives et si, par exemple, on me demande quel est l'être le plus médiocre qui ait jamais existé, je dirai : Christian Zervos. Si on me dit que les couleurs de Matisse sont complémentaires, je répondrai qu'en effet elles ne cessent pas de se faire autre chose que des compliments. Et puis je répéterai encore qu'il serait peut-être bien de faire un peu attention à la peinture abstraite. A force de devenir abstraite, sa valeur

---

1. Dali venait d'écrire en avril, lors de sa traversée de l'Atlantique sur le *S.S. America*, son terrible pamphlet : *Les Cocus du vieil art moderne*. Fasquelle éditeur, 1956.

monétaire aussi deviendra très prochainement abstraite. Il y a une gradation dans le malheur de la peinture non figurative : il y a l'art abstrait qui a l'air si triste ; puis ce qui est plus triste encore c'est un peintre abstrait ; la tristesse s'aggrave de malheur quand on se trouve en face d'un amateur de peinture abstraite ; mais il y a pire encore et plus sinistre : être critique et expert de peinture abstraite. Parfois, il arrive une chose ahurissante : toute la critique est unanime pour affirmer que quelque chose est très bon ou que quelque chose est très mauvais. Alors, on peut être sûr que tout cela est faux ! Il faut être le dernier des plus secs crétins pour affirmer que si les cheveux blanchissent, il est bien normal que les papiers collés jaunissent, eux.

J'ai intitulé mon pamphlet : *Les Cocus du vieil art moderne* mais je n'y ai pas dit que les cocus les moins magnifiques de tous sont les cocus dadaïstes. Vieillis, les cheveux blancs, mais toujours d'un anti-conformisme extrême, ils aiment à la folie recevoir d'une biennale quelconque une médaille d'or, pour une œuvre fabriquée avec la plus grande volonté de déplaire à tout le monde. Il y a tout de même des cocus moins magnifiques si possible que ces vieillards, ce sont les cocus qui donnèrent le prix de sculpture à Calder. Ce dernier n'a même pas été dadaïste, mais tous l'ont cru, et personne n'a pensé à lui dire que moins qu'on pouvait demander à une sculpture, c'est de ne pas bouger !

le 13

Un journaliste vient tout exprès de New York pour me demander ce que je pense de la Joconde de Léonard. Je lui dis :

— Je suis un très grand admirateur de Marcel Duchamp

qui est justement l'homme qui avait fait ces fameuses transformations sur le visage de la Joconde. Il lui avait dessiné de très petites moustaches, des moustaches déjà daliniennes. En dessous de la photographie, il avait ajouté en très petites lettres qu'on pouvait tout juste lire : « L.H.O.O.Q. » Elle a chaud au cul ! Moi, j'ai toujours admiré cette attitude de Duchamp qui à l'époque correspondait à une question encore plus importante : celle de savoir s'il faut ou non brûler le musée du Louvre. A ce moment-là j'étais déjà un fervent admirateur de la peinture ultra-rétrograde, incarnée par le grand Meissonier que j'ai toujours considéré comme un peintre très supérieur à Cézanne. Et naturellement, j'étais de ceux qui disaient qu'il ne fallait pas brûler le musée du Louvre. Jusqu'à présent, je vois qu'on a pris en considération mon point de vue à ce sujet : on n'a pas brûlé le musée du Louvre. Il est évident que si on décide brusquement de l'incendier, il faut sauver la Joconde et le cas échéant, même la transporter à toute vitesse en Amérique[1]. Et pas seulement parce qu'elle est d'une grande fragilité psychologique. Dans le monde, existe une véritable jocondolâtrie. Beaucoup d'êtres se sont attaqués à la Joconde, notamment en la lapidant il y a quelques années, type même du cas flagrant d'agression contre sa propre mère. Si on connaît tout ce que Freud a pensé de Léonard de Vinci, tout ce que l'art de ce dernier recelait dans son subconscient, on en déduit aisément qu'il était amoureux de sa mère, quand il peignait la Joconde. Inconsciemment, il a peint un être qui a tous les attributs maternels sublimés. Elle a de gros seins et elle pose sur ceux qui la contemplent un regard tout à fait maternel. Cependant, elle sourit d'une façon équivoque. Tout le monde a pu voir et voit encore aujourd'hui qu'il y avait dans ce sourire équivoque une

---

1. En 1963, on put croire que Dali avait été écouté. La Joconde fit un voyage aux États-Unis. Pourtant on n'en profita pas pour brûler le musée et quand elle revint, Mona Lisa retrouva sa maison intacte.

dose d'érotisme très déterminante. Or, qu'arrive-t-il au pauvre malheureux qui est possédé par le complexe d'Œdipe, c'est-à-dire le complexe d'être amoureux de sa mère ? Il entre dans un musée. Un musée est une maison publique. Dans son subconscient, c'est le bordel. Et dans ce bordel il voit la représentation du prototype de l'image de toutes les mères. La présence angoissante de sa mère qui lui jette un doux regard et lui fait un sourire équivoque le pousse à un acte criminel. Il commet un matricide, en prenant la première chose qui lui tombe sous la main, un caillou, et en crevant le tableau. C'est une agression typique de paranoïaque...

En partant, le journaliste m'a dit :

— Ça valait le voyage !

Je crois bien que ça valait le voyage ! Je l'ai regardé monter la côte, pensivement. En marchant, il s'est baissé pour ramasser un caillou[1].

---

1. Dans *Art News* de mars 1963, Dali est revenu sur ce thème avec plus de précision encore, offrant à qui pourrait donner d'autres explications des attaques dont a souffert Mona Lisa de lui jeter la première pierre. Il la ramassera, dit-il pour continuer de construire la Vérité.

SEPTEMBRE

le 2

Je reçois un télégramme de la princesse P. Elle m'annonce son arrivée pour demain. Je suppose qu'elle m'apporte le « violon masturbatoire chinois » que son mari, le Prince, avait promis de me rapporter comme cadeau de son dernier voyage en Chine. Après dîner, sous un ciel propice à tous les lieux communs de grandiosité cosmique, je rêvasse au violon chinois muni d'un appendice vibratoire. Cet appendice est destiné à être introduit dans l'anus d'abord, mais ensuite et surtout dans le con. Quand il y est bien enfoncé, un musicien expert prend un archet et le promène sur les cordes du violon. Et naturellement il ne joue pas n'importe quoi, mais il suit une partition expressément écrite à des fins masturbatoires. Par de savantes frénésies suivies d'accalmies vibratoires amplifiées par l'appendice, le musicien parvient à faire tomber en pâmoison la belle au moment précis et synchronisé où la partition porte les notes de l'extase.

Absorbé profondément dans mes rêveries érotiques, je n'écoute que très vaguement la conversation de trois Barcelonais qui, comme de bien entendu, en sont encore à tenter d'écouter la musique des sphères. Ils se répètent l'histoire de l'étoile éteinte depuis des millions d'années et dont nous voyons cependant encore la lumière qui continue de voyager, etc.

Comme je ne parviens à partager aucune de leurs « feintes » stupéfactions, je leur dis que rien de ce qui se produit dans l'univers ne m'étonne et c'est la pure vérité. Alors un des Barcelonais, horloger très connu, me dit, n'en pouvant plus :

— Rien de tout cela ne vous étonne ! Bien. Mais imaginons une chose. Il est minuit maintenant et à l'horizon se dessine une lueur qui annonce l'aurore. Vous regardez intensément et tout d'un coup vous voyez sortir le soleil. A minuit ! Ça, ça ne vous étonnerait pas ?

— Non, répondis-je, ça ne m'étonnerait pas le moins du monde.

L'horloger barcelonais s'est écrié :

— Eh bien, moi oui, ça m'étonnerait ! Et même tellement que je me croirais devenu fou.

Alors Salvador Dali a laissé tomber une de ces réponses lapidaires dont il a le secret :

— Moi, c'est le contraire ! Je croirais que c'est le soleil qui est devenu fou.

le 3

La Princesse arrive sans m'apporter le violon anal chinois. Elle prétend que depuis que j'ai conçu la fameuse pâmoison par vibrations dans l'anus, elle a eu des craintes à la frontière et s'est mal vue expliquant à des douaniers l'utilisation de cet instrument. Au lieu du violon elle m'apporte une oie en porcelaine que nous placerons au centre de la table. L'oie s'ouvre par un couvercle dans son dos. Je raconte à la Princesse des choses divines que seul Dali connaît sur le jeu de l'oie, mais je suis pris aussitôt d'une fantaisie subite. J'imagine que je vais faire scier le cou de cette oie par le sculpteur à qui j'ai fait ajouter un sexe au torse de Phidias. A l'heure du dîner, j'enfermerai une oie vivante dans celle de porcelaine. Seuls apparaîtront la tête et le cou de l'oie vivante à l'intérieur. Si elle crie, nous lui fabriquerons une agrafe en or pour lui fermer le bec. Puis j'imagine encore un orifice correspondant à l'anus de l'oie. Au moment des plus mélancoliques petits fours, un Japonais moyen en kimono entrera dans la pièce avec le violon et l'appendice vibratoire qu'il introduira dans l'anus de l'oie. Et jouant une musique de dessert il provoquera la pâmoison de l'oie qui aura lieu parmi les conversations des convives...

La scène sera éclairée par des candélabres très spéciaux. Des singes sandwiches vivants seront enfermés à clé dans des moitiés de singes en argent, de manière que la seule partie vraie et vivante des singes candélabres sera leurs visages râleurs et crispés par l'inquisition ciselée. Je me plairai infiniment aussi à voir leurs queues remuer exaspérées par la même contrainte. Elles frapperont convulsivement la table pendant que plus cocus que n'importe quelle espèce de singe, mes sandwiches seront forcés de porter dignement les bougies tranquillissimes.

A ce moment même, un éclair jupitérien m'illumine : le cocuage deux trillions de fois plus grand que le cocuage des singes consisterait à cocuer le roi des animaux, le lion. Eh bien oui, je prendrai un lion et le couvrirai de belles courroies en cuir astiqué de chez Hermès. Ces courroies serviront à maintenir autour de son corps une dizaine de cages remplies d'ortolans et de gourmandises suprêmes, mais de telle façon que le lion ne puisse jamais parvenir à attraper aucune des sybaritiques victuailles dont il est profusément paré. Grâce à un jeu de miroirs, il observera ces victuailles ce qui le fera dépérir, dépérir, jusqu'à ce que mort s'ensuive. Agonie édifiante, en vérité, et qui pourra être d'une valeur subversive et morale incomparable pour tous ceux qui auront suivi chaque instant d'une mort aussi exemplaire.

La fête au lion mort de faim devrait être célébrée chaque lustre par les mairies de tous les petits villages, cinq jours après l'épiphanie, pour servir de programmation cybernétique à l'usage des grandes cités modernes et industrielles.

le 4

Ce quatre septembre (septembre septembré, lunes et lions de mai), il s'est produit à quatre heures un de ces phénomènes que j'attribue à Dieu. Cherchant dans un livre d'histoire l'image d'un lion, voilà que tombe par terre, de la page qui marquait le lion, une petite enveloppe de deuil. Je l'ouvre. C'était une carte de visite de Raymond Roussel me remerciant de l'envoi d'un de mes livres[1]. Roussel, grand névrosé, s'est suicidé à Palerme au moment même où m'étant donné corps et âme à lui, je souffrais de telles angoisses que j'avais cru devenir fou. Une bouffée d'angoisse m'anéantit à ce souvenir, et je tombe à genoux, remerciant Dieu pour cet avertissement.

Pendant que je suis à genoux, j'aperçois par la fenêtre le bateau jaune de Gala qui arrive au môle. Je sors et cours embrasser mon trésor. C'est Dieu qui me l'envoie aussi. Elle ressemble au lion de la Metro Goldwyn Mayer comme jamais. Et jamais, je n'ai autant eu envie de la manger. Mais toute idée d'agonie du lion a disparu. Je demande à Gala de me cracher sur le front, ce qu'elle fait aussitôt.

le 5

Je me donne par maladresse un coup très fort sur la tête. Aussitôt je crache plusieurs fois, me souvenant que mes parents me disaient que cela aidait à faire sortir l'effet des

1. Raymond Roussel (1877-1933), très prisé des surréalistes, il est l'auteur de *Impressions d'Afrique, La Doublure, Locus Solus.*

coups. Toucher une bosse en exerçant une pression douce produit des douleurs aussi douces et aussi morales que les reines-claudes mélancoliques du 15 août.

le 6

Nous allons avec la voiture au marché de Figueras où j'achète dix casquettes contre les coups. Elles sont en paille comme celles que portent les petits enfants pour amortir les coups quand ils tombent. Au retour, je place chaque casquette à coups sur des chaises de différentes hauteurs que Gala avait achetées de son côté. La vue quasi liturgique de cet arrangement me produit un léger début d'érection. Je monte dans mon atelier pour prier et remercier Dieu. Dali ne sera jamais fou. Ce que je venais de faire c'était le plus harmonieux de tous les mariages possibles. Et pour ceux, psychanalystes ou autres, qui écriront des volumes sur la sagesse triomphante du délire de cette première semaine sacrée de septembre, je dois ajouter, afin de réjouir encore tout le monde, que chacune des chaises comportait un petit coussin rempli de plumes d'oie. Malheur à celui qui n'a pas encore vu dans chacune de ces plumes d'oie le spectre d'un véritable violon anal cybernétique, la machine dalinienne à penser du futur.

le 7

Aujourd'hui, c'est dimanche. Je me réveille très tard. Quand je regarde par la fenêtre, je vois descendre d'un bateau, un des nègres qui font du camping alentour. Il ruisselle de sang et porte dans ses bras un de nos cygnes blessé et mourant. Un touriste l'a harponné croyant avoir découvert un oiseau rare. Ce spectacle me cause une tristesse étrangement agréable. Gala sort en courant pour aller embrasser le cygne. A ce moment-là, on entend un bruit qui nous fait tous sursauter. On vient de renverser, avec un grand fracas, un camion d'anthracite destiné au chauffage. Ce camion est l'agent catalyseur du mythe. De nos jours, si on est attentif, on peut déceler les actions de Jupiter dans la présence inattendue des camions qui sont des objets assez grands pour qu'on ne puisse pas manquer de les voir.

le 8

Des amis me téléphonent que le roi Umberto d'Italie va venir nous visiter. Je commande l'orchestre de sardanes pour qu'il vienne jouer en son honneur. Il sera le premier à marcher sur le chemin que je fais reblanchir. Ce chemin est entouré de pommes grenades. A l'heure de la sieste, je m'endors en pensant à l'arrivée du roi qui enfilera par leurs petits trous deux jasmins à la pointe de mes moustaches. Je rêve un rêve inoubliable. Un cygne est truffé de pommes grenades explosives qui le font exploser. Je distingue les moindres déchirures viscérales comme dans un film stroboscopique. L'envol de chaque plume s'effectue en forme de minuscules violons volants.

Au réveil, à genoux, je remercie la Vierge pour ce rêve euphorique qui deviendra sûrement « auréophique ».

le 9

le 10

Il faut que je raconte tout, même si c'est incroyable. Ma personnalité exclut toute possibilité de blague ou de mystification puisque je suis un mystique, et que mystique et mystification sont formellement opposés de par la loi des vases communicants.

L'autre matin, un vieil ami de mon père qui veut me faire identifier un ancien tableau de moi en possession de sa famille est venu me trouver. Je lui ai dit que ce tableau était authentique. Il s'est étonné que je puisse l'authentifier ainsi, sans même voir la toile. Mais il me suffisait de l'avoir vu, lui. Il a insisté pour me montrer la toile qui était restée dans l'entrée.

— Allons la voir... Je l'ai laissée à côté de l'ours empaillé[1].

— Impossible, ai-je dit, Sa Majesté le roi est en train de changer de costume de bain juste derrière l'ours.

Ce qui était parfaitement vrai.

— Ah, me répondit-il avec une légère remontrance dans la voix, ah si vous n'étiez pas le plus grand farceur de la terre, vous en deviendriez le plus grand peintre !

Pourtant, je ne lui avais dit que la plus stricte vérité. Cela me rappelle maintenant ma visite à Sa Sainteté Pie XII il y a deux ans. Un matin, à Rome, je descendais à toute vitesse les escaliers du Grand Hôtel, muni d'une étrange caisse fermée avec des ficelles plombées. Cette

---

1. Dans l'entrée de sa maison de Port Lligat, Dali a placé à l'angle un grand ours empaillé qu'il a couvert de bijoux.

caisse contenait une de mes peintures. Dans le hall était assis René Clair, lisant le journal. Il a levé les yeux, ses yeux continuellement sceptiques, cernés, comme on le sait, par la meurtrissure inguérissable et congénitale du cocuage cartésien. Il m'a dit :

— Où cours-tu ainsi, à cette heure, traînant tant de ficelles ?

J'ai répondu brièvement et avec le maximum de dignité :

— Je vais voir le Pape et je reviens. Attends-moi ici.

René Clair, n'y croyant pas le moins du monde, me dit sur un ton théâtral et feignant le plus grand sérieux :

— Je te prie de le saluer respectueusement de ma part.

Au bout de trois quarts d'heure, exactement, j'étais de retour. René Clair était toujours là, assis dans le hall. D'un air accablé et vaincu, il m'a désigné le journal qu'il était en train de lire. Entre-temps, juste après mon départ, il avait découvert une information émanant du Vatican et annonçant la visite au Pape que je venais de faire. La caisse entourée de ficelles plombées contenait l'effigie de Gala en Madone de Port Lligat que j'avais montrée au Souverain Pontife.

Mais ce que René Clair ne sut jamais, c'est que parmi les trois cent cinquante buts de ma visite, le numéro 1 était une démarche pour obtenir l'autorisation d'épouser Gala à l'église. C'était une chose difficile car son premier mari, Paul Éluard, était, pour le bonheur de tous, encore en vie.

Hier 9 septembre, j'ai passé comptabilité de ma génialité pour voir si elle augmente, le chiffre neuf étant le dernier cube d'un hypercube. Les choses en sont là ! Et aujourd'hui, j'apprends par lettre qu'un collectionneur américain possède l'exemplaire de *La Conquête de l'Irrationnel* dont je fis cadeau à Adolphe Hitler, avec pour dédicace mon signe de croix.

D'où grandes possibilités pour moi de croire que je puis récupérer le talisman magique qui a fait perdre à Hitler la guerre ou tout au moins la dernière bataille.

De plus, n'ai-je pas surmonté par un stratagème angélique (donc génial) les menaces non voilées de ma folie culminant dans le rêve philosophique et euphorique des cygnes explosifs ?

J'ai reçu hier la visite d'un roi et j'ai décidé fermement de me marier avec la bellissime Hélène Gala pour ainsi recocufier René Clair [1] qui est le symbole amical du Saint-Tropez voltairien.

Le cube numéro neuf de ma plénitude de densité de vie est très supérieur au neuf de l'an dernier. En les comparant, je ne vois en effet pas de roi, pas de guerre européenne encore gagnée. Seul le courage était supérieur ! Au lieu de René Clair, c'était un nom innommable en « oie » ! ! !

1. Le mariage devait se célébrer en 1958.

1957

MAI

Au réveil, je baise l'oreille de Gala pour sentir avec le bout de ma langue l'épaisseur du minuscule relief situé sur son lobe. A ce moment-là, je sens, tout entier mêlé à ma salive, Picasso. Picasso qui est l'homme le plus vivant que j'aie jamais connu et qui possède un grain de beauté sur le lobe de son oreille gauche. Ce grain, un peu plus olivâtre que doré et d'une épaisseur minime, est placé exactement au même endroit que celui de ma femme Gala. Il pourrait en être considéré comme l'exacte reproduction. Très souvent, quand je pense à Picasso, je caresse cette épaisseur infime au coin du lobe gauche de Gala. Et ceci est fréquent, car Picasso est l'homme auquel j'ai le plus souvent pensé après mon père. Tous les deux sont, plus ou moins, les Guillaume Tell de ma vie. C'est contre leur autorité que, depuis ma plus tendre adolescence, je me suis, sans hésitation, héroïquement révolté.

Ce grain de beauté de Gala est l'unique partie vivante de son corps que je puisse totalement englober entre mes deux doigts. Elle me rassure irrationnellement sur son immortalité phénixologique. Et je l'aime plus que ma mère, plus que mon père, plus que Picasso, et même plus que l'argent !

L'Espagne a toujours eu l'honneur d'offrir au monde les

plus hauts et les plus violents contrastes. Ces contrastes se sont au XXe siècle incarnés dans les deux personnes de Pablo Picasso et de votre humble serviteur. Les événements les plus importants qui puissent arriver à un peintre contemporain sont au nombre de deux :

1° Être Espagnol ;

2° S'appeler Gala Salvador Dali.

Ces deux choses me sont arrivées à moi. Comme mon propre nom de Salvador l'indique, je suis destiné à rien moins que sauver la peinture moderne de la paresse et du chaos. Je m'appelle Dali ce qui veut dire « désir » en catalan et j'ai Gala. Picasso, certes, est bien Espagnol, mais il n'a de Gala qu'une ombre biologique au coin de l'oreille, et il s'appelle seulement Pablo, comme Pablo Casals, comme les papes, c'est-à-dire qu'il s'appelle comme tout le monde.

le 10

Dans le monde, d'une façon intermittente mais mono tone, je rencontre des femmes très élégantes, donc moyennement jolies, aux os du coccyx quasi monstrueusement développés. Depuis plusieurs années, en général, ces femmes brûlent d'envie de me connaître en personne. La conversation entre nous deux est régulièrement de cet ordre :

FEMME COCCYX

Je vous connaissais naturellement de nom.

MOI DALI

Moi aussi.

FEMME COCCYX

Vous aurez peut-être remarqué que je n'ai pas cessé de vous regarder. Je vous trouve fascinant.

MOI DALI

Moi aussi.

FEMME COCCYX

Ne soyez pas flatteur ! Vous ne m'avez même pas aperçue.

MOI DALI

Je parle de moi-même, Madame.

FEMME COCCYX

Je me demande tout le temps comment vous faites pour que vos moustaches pointent en l'air.

MOI DALI

Des dattes !

FEMME COCCYX

Quoi ?

MOI DALI

Des dattes. Oui, des dattes, les fruits du palmier. Au dessert, je demande des dattes, je les mange et avant de laver mes doigts dans le bol quand j'ai fini, je les passe légèrement sur mes moustaches. Ça suffit à les faire tenir.

FEMME COCCYX

!!!!!!

MOI DALI

Un autre avantage est que le sucre des dattes attire inévitablement toutes les mouches.

FEMME COCCYX

Quelle horreur !

MOI DALI

J'adore les mouches. Je ne suis heureux qu'au soleil, nu et couvert de mouches.

FEMME COCCYX
*(déjà convaincue par le ton d'authenticité rigoureuse
de tout ce que je lui ai dit).*

Mais comment peut-on aimer être recouvert de mouches ? C'est si sale !

MOI DALI

J'ai horreur des mouches sales. Je n'aime que les mouches proprissimes.

FEMME COCCYX

Je me demande comment vous pouvez distinguer les mouches propres des mouches sales.

MOI DALI

Ça, je le vois tout de suite. Je ne supporte pas la mouche sale de ville ou même de village, au ventre jaune mayonnaise et gonflé, aux ailes noires comme si elles avaient été trempées dans un lugubre rimmel nécrophilique. Je n'aime que les mouches proprissimes, super-gaies, habillées de petits costumes d'alpaga gris par Balenciaga, étincelantes comme un arc-en-ciel sec, précises comme le mica, aux yeux grenat et au ventre de noble jaune de Naples, telles les merveilleuses petites mouches d'olivier de Port Lligat où n'habite personne que Gala et Dali. Ces petites mouches ont la grâce de se poser toujours sur le côté argent oxydé de la feuille d'olivier. Ce sont les fées de la Méditerranée. Elles apportaient l'inspiration aux philosophes grecs qui passaient leur vie au soleil, couverts de mouches... Votre air rêveur me laisse déjà croire que vous êtes acquise aux mouches... Pour conclure sur ce chapitre, je vous dirai que le jour où étant en train de penser je me trouverai dérangé par les mouches qui me recouvrent, je saurai que cela signifie que mes idées n'ont pas la puissance de ce flot paranoïaque qui est le signe de mon génie. En revanche, si je ne m'aperçois pas des mouches, c'est le meilleur signe que je domine entièrement la situation spirituelle.

FEMME COCCYX

Au fond, tout ce que vous dites semble avoir un sens ! Alors est-il vrai que vos moustaches sont des antennes par lesquelles vous recevez vos idées ?

A cette question le divin Dali s'envole et se surpasse. Il brode sur tous ses thèmes favoris, brode des dentelles de Vermeer si fines, si hypocrites, ensorcelantes et gastronomiques que de la femme coccyx ne devra rester que le coccyx cubain. C'est-à-dire, comme vous le pensez déjà, la pure concubine cocuficatrice qui, à travers mon procédé cybernétique, trompe son mâle, le concubin de la concubite.

le 11

J'ai déjà dit, en racontant ma rencontre avec lui, que le crâne de Freud ressemblait à un escargot de Bourgogne[1]. La conséquence est évidente : si on veut manger sa pensée il faut la sortir avec une aiguille. Alors, elle sort tout

---

1. Dans *Ma vie secrète*. Dali touche là de nouveau à une question qui fut épineuse. Ses détracteurs ont longtemps prétendu qu'il n'avait jamais vu Freud. Mais Fleur Cowles dans son livre *Dali, la vie d'un grand excentrique* a pu prouver par une lettre irréfutable de Freud que le peintre et le médecin s'étaient bel et bien rencontrés à Londres au début de l'été 1938.

entière. Sinon, elle se casse et il n'y a rien à faire, vous n'arriverez jamais au but. Aujourd'hui où j'évoque la mort de Freud, j'ajouterai d'ailleurs que l'escargot de Bourgogne, hors de sa coquille, est une des choses qui ressemblent de la façon la plus paralysante à un tableau du Greco. Aussi le Greco et l'escargot de Bourgogne sont-ils deux choses qui n'ont aucun goût propre. D'un simple point de vue gastronomique, ils sont moins succulents qu'une gomme à effacer.

Tous ceux qui aiment les escargots poussent déjà des cris de protestation. Il me faut donner quelques précisions de plus. Si l'escargot et le Greco n'ont aucun goût propre à eux-mêmes, en revanche, ils possèdent et nous offrent cette rarissime vertu quasi miraculeuse de « mimétisme gustatif transcendant » qui est d'absorber soi-même, et de donner rendez-vous (grâce à leur fadeur personnelle) à toutes les saveurs qui les préparent à être mangés avec des condiments. Les deux sont des véhicules magiques pour la conjonction de tous les goûts. Et c'est ainsi que chacune des saveurs avec lesquelles le Greco et l'escargot de Bourgogne sont cuisinés peut atteindre distinctement et symphoniquement son plain-chant.

Si l'escargot avait un goût propre, le palais de l'homme aurait-il jamais pu prendre une connaissance aussi pythagorienne de ce que représente dans la civilisation méditerranéenne ce croissant livide, lunaire et agonique d'euphorie extasiée qu'est une gousse d'ail ? L'ail qui éclaire jusqu'aux larmes le ciel sans nuages d'aucune saveur du fade escargot.

De même la fadeur du Greco en soi est aussi insubstantiellement insipide que celle de l'escargot de Bourgogne sans condiments. Mais — attention ! — comme lui, le Greco possède cette vertu véhiculaire, ce pouvoir unique de rendre orgiaques toutes les saveurs. A son départ d'Italie, il était plus doré, plus sensuel et gras qu'un « marchand de Venise », mais le voilà qui arrive à Tolède et qui, soudain, s'imprègne de toutes les saveurs, substances et quintessences de l'esprit ascétique et mystique espagnol. Alors, il devient plus Espagnol que les Espagnols parce que, masochiste et fade comme un escargot, il est parfaitement apte à devenir le réceptacle, la chair passive propre à recevoir les stigmates des chevaliers séphardim crucifiés de noblesse. Là se retrouve l'origine de ses noirs et gris au goût unique de foi catholique et des métaux militants de l'âme, ce super-ail en forme de lune décroissante d'agonique argent lorquien. Celle-là même qui éclaire les vues de Tolède et les plis et replis persillés de son Assomption, l'une des figures les plus allongées du Greco, si semblable en tout à la silhouette et au galbe d'un escargot de Bourgogne condimenté, si vous l'observez attentivement au fur et à mesure qu'il se déroule et s'allonge à la pointe de votre aiguille ! Il ne vous suffira plus alors que d'imaginer seulement que la force de gravité qui le tire vers la terre serait, si l'on renverse l'image, la force qui le fait tomber vers le ciel !

Telle est, en une seule image visuelle, la preuve que j'apporte à ma thèse non encore soutenue selon laquelle Freud ne serait qu'un « grand mystique à l'envers ». Car, si son cerveau lourd et condimenté de toutes les viscosités du matérialisme, au lieu de pendre dépressivement, étiré par la force de gravité des plus souterrains cloaques du bas-fond de la terre, s'était étiré, au contraire, vers l'autre vertige, celui des abîmes célestes, ce cerveau, je le répète, au lieu de ressembler à l'escargot quasi ammoniacal de la mort, aurait ressemblé très exactement à la glorieuse Assomption peinte par le Greco dont j'ai parlé quelques lignes plus haut.

Le cerveau de Freud, l'un des plus savoureux et des plus importants de notre époque, est par excellence l'escargot de la mort terrestre. C'est d'ailleurs en cela que réside l'essence de la constante tragédie du génie juif toujours privé de cet élément primordial : la Beauté, condition nécessaire à la pleine connaissance de Dieu qui doit être suprêmement beau.

Il paraît que, sans m'en douter, j'ai dessiné la mort terrestre de Freud dans le portrait au crayon que je fis de lui un an avant sa mort. Mon intention spéciale avait été de réaliser un dessin purement morphologique du génie de la psychanalyse, au lieu d'essayer d'en faire d'une façon évidente le portrait d'un psychologue. Le portrait fini, je priai Stefan Zweig, qui avait été mon interlocuteur auprès de Freud, de le lui montrer, puis j'attendis avec anxiété les remarques qu'il allait pouvoir faire. J'avais été extrêmement flatté de son exclamation lors de notre rencontre :

— Je n'ai jamais vu aussi parfait prototype d'Espagnol ! Quel fanatique !

Il avait dit cela à Zweig après m'avoir longuement scruté d'une façon terriblement aiguë. Cependant, je n'obtins la réponse de Freud que quatre mois plus tard, lorsque, accompagné de Gala, je rencontrai de nouveau Stefan Zweig et sa femme lors d'un déjeuner à New York. J'étais si impatient que je n'attendis pas le café pour demander quelle avait été la réaction de Freud à la vue de mon portrait.

— Il lui a beaucoup plu, me dit Zweig.

J'insistai pourtant, désirant savoir si Freud avait fait quelque remarque concrète ou le moindre commentaire qui aurait été pour moi infiniment précieux, mais Stefan Zweig me parut évasif ou distrait par d'autres pensées. Il prétendit que Freud avait beaucoup apprécié la « finesse des traits », puis se replongea dans son idée fixe : il voulait que nous allions le rejoindre au Brésil. Ce voyage, disait-il, serait merveilleux et apporterait un fécond changement dans notre vie. Cette idée et l'obsession créée en lui par la persécution des Juifs en Allemagne furent les leitmotive ininterrompus du monologue de notre repas. Il semblait que, vraiment, j'eusse besoin d'aller au Brésil pour survivre. Je me débattais, j'avais horreur des tropiques. Un

peintre ne peut vivre, me défendais-je, qu'entouré du gris
des oliviers et du rouge de la noble terre de Sienne. Mon
horreur de l'exotisme consterna Zweig jusqu'aux larmes.
Alors, il me parla de la dimension des papillons brésiliens,
mais moi je grinçais des dents : les papillons sont toujours
et partout trop grands. Zweig se désolait, se désespérait. Il
lui semblait que seulement au Brésil, nous aurions pu être
Gala et moi parfaitement heureux.

Les Zweig nous laissèrent, minutieusement écrite, leur
adresse. Lui ne voulait pas croire que je resterais aussi
récalcitrant et entêté. On aurait vraiment cru que notre
arrivée au Brésil était pour ce couple une question de vie
ou de mort !

Deux mois après, nous apprîmes le double suicide des
Zweig au Brésil. Ce suicide, ils l'avaient décidé dans un
moment de parfaite clairvoyance, après s'être mutuelle-
ment écrit.

Les papillons trop grands ?

Ce n'est qu'en lisant la conclusion du livre posthume de
Stefan Zweig, *Le Monde de demain*, que j'appris enfin la
vérité sur mon dessin : Freud n'avait jamais vu son propre
portrait. Zweig m'avait pieusement menti. D'après lui,
mon portrait préfigurait d'une façon si frappante la prochaine mort de Freud qu'il n'avait pas osé le lui montrer,
craignant de le bouleverser inutilement, le sachant déjà
très malade d'un cancer.

Je range sans hésitation Freud parmi les héros. Il a
dépossédé le peuple juif du plus grand et du plus prestigieux de tous ses héros : Moïse. Freud a démontré que
Moïse était égyptien, et dans le prologue de son livre sur
Moïse — le meilleur et le plus tragique de ses livres — il
avertit ses lecteurs que cette démonstration a été sa tâche
la plus ambitieuse et la plus ardue, mais aussi la plus
corrosivement amère !

Finis les grands papillons !

NOVEMBRE

Joseph Foret vient d'apporter le premier exemplaire du *Quichotte* illustré par moi selon une technique qui, depuis que je l'ai inaugurée, fait fureur dans le monde entier, bien qu'elle soit proprement inimitable. Une fois de plus, Salvador Dali a remporté une victoire impériale. Ce n'est pas la première. A vingt ans déjà, j'avais fait le pari de remporter le Grand Prix de peinture de l'Académie Royale de Madrid avec un tableau que je peindrais sans qu'à aucun moment mon pinceau touchât la toile. Bien entendu, j'ai remporté ce prix. Le tableau représentait une jeune femme nue et vierge. Me tenant à plus d'un mètre du chevalet, j'avais projeté des couleurs qui éclaboussaient la toile. Chose inouïe, il n'y eut pas à déplorer une seule tache. Chaque éclaboussure était immaculée.

Voilà un an, jour pour jour, qu'à Paris, cette fois, j'ai tenu la même gageure. Au cours de l'été, Joseph Foret débarquait à Port Lligat avec un chargement de très lourdes pierres lithographiques. Il voulait absolument que j'illustre un *Don Quichotte* en travaillant sur ces pierres. Or, à cette époque, j'étais contre l'art lithographique pour des raisons esthétiques, morales et philosophiques. Je trouvais ce procédé sans rigueur, sans monarchie, sans inquisition. A mes yeux, ce n'était qu'un procédé libéral, bureaucratique et mou. Cependant, la persévérance de Foret qui m'apportait sans cesse des pierres exaspéra ma volonté de puissance antilithographique jusqu'à l'hyperesthésie agressive. C'est dans cet état qu'une idée angélique a ébloui les mâchoires de mon cerveau. Gandhi ne disait-il pas déjà : « Les anges dominent les situations d'ensemble sans avoir besoin d'un plan ? » Ainsi, instantanément comme un ange, ai-je dominé la situation de mon Quichotte.

Si je ne pouvais pas tirer une balle d'arquebuse sur un papier sans le déchirer, en revanche je pouvais tirer sur une pierre sans la casser. Convaincu par Foret, je télégraphiai à Paris pour que l'on préparât une arquebuse dès mon arrivée. C'est mon ami, le peintre Georges Mathieu qui me fit cadeau d'une très précieuse arquebuse du xve siècle, à la crosse incrustée d'ivoire. Et le 6 novembre 1956, entouré de cent moutons sacrifiés en holocauste à l'exemplaire de tête uniquissime sur parchemin, j'ai tiré à bord d'une péniche sur la Seine la première balle de plomb du monde truffée d'encre lithographique. La balle écrasée ouvrait l'ère du « bouletisme ». Sur la pierre apparut une éclaboussure divine, une espèce d'aile angélique dont les détails aériens et la rigueur dynamique dépassaient toutes les techniques employées jusqu'à ce jour. Dans la semaine qui a suivi, je me suis livré à de nouvelles et fantastiques expériences. A Montmartre, devant la foule délirante, entouré de quatre-vingts jeunes filles proches de l'extase, j'ai rempli de mie de pain trempée dans l'encre deux cornes de rhinocéros évidées, puis invoquant la mémoire de mon Guillaume Tell je les ai écrasées sur la pierre. Miracle dont il faut remercier Dieu à genoux : les cornes du rhinocéros avaient dessiné les deux ailes éclatées d'un moulin. Double miracle encore : lorsque je reçus les premières épreuves, un mauvais tirage les avait tachées. Je crus de mon devoir de fixer et d'accentuer ces taches pour illustrer paranoïaquement tout le mystère électrique de la

liturgie de cette scène. Don Quichotte rencontrait au-
dehors les géants paranoïaques qu'il portait en lui. Dans la
scène des outres de vin, Dali retrouvait le sang chimérique
du héros et la courbe logarithmique qui bombe le front de
Minerve. Mieux encore, Don Quichotte, étant Espagnol et
réaliste, n'a pas besoin de la lampe d'Aladin. Il lui suffit de
saisir entre ses doigts un gland de chêne pour que renaisse
l'Age d'or.

Dès mon retour à New York, les producteurs de télévision se disputèrent mes essais de « boulétisme ». Quant à
moi, je dormais sans cesse pour apercevoir dans mes rêves
la façon la plus juste, la plus précise avec laquelle il fallait
tirer mes balles truffées d'encre pour disposer mathéma-
tiquement mes trous. Avec des spécialistes de l'armurerie
de l'Académie militaire de New York, j'allais tous les
matins me réveiller au son des coups d'arquebuse. Chaque
explosion donnait naissance à une lithographie complète
qu'il ne me restait qu'à signer et que les amateurs m'arra-
chèrent des mains pour des prix fabuleux. Une fois de
plus, je m'aperçus que j'avais devancé les ultimes découvertes de la science lorsque, trois mois après mon premier
coup d'arquebuse, j'appris que des savants employaient
comme moi un fusil et une balle pour essayer de découvrir
les mystères de la création.

En mai de cette année, j'étais de nouveau à Port Lligat.
Joseph Foret m'y attendait avec des pierres nouvelles plein
le coffre de sa voiture. De nouveaux coups d'arquebuse
redonnèrent naissance à Don Quichotte. Accablé, il se
transfigurait en adolescent dont toute la tristesse plaintive
faisait justice à sa tête couronnée de sang. Dans une
lumière digne de Vermeer filtrant à travers des vitraux
hispano-mauresques, il lisait ses romans de chevalerie.
Avec une boule de « silly past » comme celle dont jouent
les enfants américains, je créais les spirales dans lesquelles
coulait l'encre lithographique : c'était une angélique figure
à la pilosité dorée, la naissance du jour. Don Quichotte,

microcosme paranoïaque, se confondait et se détachait de la Voie Lactée qui n'est autre que le chemin de Saint-Jacques.

Saint-Jacques protégeait mon œuvre. Il se manifesta le 25 août jour de sa fête où je réalisai au cours de mes essais une éclaboussure qui restera désormais glorieuse dans l'histoire de la science morphologique. Elle est à jamais gravée dans l'une des pierres que, avec sa sainte insistance, Joseph Foret offrait assidument aux éclairs de mon imagination. Je pris un escargot de Bourgogne vide et le remplis entièrement d'encre lithographique. Après quoi, je l'introduisis dans le canon de l'arquebuse et visai la pierre de très près. Le coup tiré, un volume de liquide épousant parfaitement le galbe des spirales d'un escargot produisit une éclaboussure qu'une longue analyse me révéla de plus en plus divine, comme si, en réalité, il ne s'agissait de rien moins que d'un état de « galaxie pré-escargotine » à l'instant suprême de sa création. Le jour de la saint Jacques restera donc, aux yeux de l'histoire, comme le jour témoin de la plus catégorique victoire dalinienne sur l'anthropomorphisme.

Le lendemain de ce jour béni, une tempête fit pleuvoir de tout petits crapauds qui, aussitôt plongés dans l'encre, devinrent les motifs du costume brodé de Don Quichotte. Ces crapauds créaient l'humidité batracienne opposée à l'éclatement de la sécheresse des hautes plaines de Castille régnant dans la tête du héros. Chimère des chimères. Plus rien n'était chimère. Sancho apparaissait à son tour comme dans la pensée de Cervantès : « Irréel et tangible », tandis que Don Quichotte touchait du doigt les dragons du docteur Yung.

Aujourd'hui où Joseph Foret vient de déposer sur ma table l'exemplaire rarissime, je peux crier : « Bravo Dali ! Tu as illustré Cervantès. Chacune de tes éclaboussures contient en puissance un moulin et un géant. Ton ouvrage est un géant bibliophilique et c'est le sommet de toutes les plus fécondes contradictions lithographiques... »

1958

SEPTEMBRE

Port Lligat, le 1ᵉʳ

Il est difficile d'attirer l'attention tendue du monde pendant plus d'une demi-heure de suite. Moi, j'ai réussi à le faire pendant vingt ans, et chaque jour. Ma devise a été « que l'on parle de Dali même si on en parle bien ». J'ai réussi pendant vingt ans à ce que les journaux publient les nouvelles les plus incompréhensibles de notre époque, envoyées par télétype :

PARIS. — Dali donne une conférence en Sorbonne sur « la Dentellière » de Vermeer et le Rhinocéros. Il arrive dans une Rolls Royce blanche contenant mille choux-fleurs blancs.

ROME. — Dans les jardins illuminés aux torches de la Princesse Pallavicini, Dali renaît, surgissant à l'improviste d'un œuf cubique recouvert des inscriptions magiques de Raimondo Lulio, et prononce un discours explosif en latin.

GERONA, ESPAGNE. — Dali vient d'effectuer son mariage liturgique secret avec Gala dans l'Ermitage de la Vierge aux Anges. Il déclare : « Nous sommes maintenant des êtres archangéliques ! »

VENISE. — Gala et Dali, habillés en géants de neuf

mètres, descendent les marches du Palais Beisteigui et dansent avec la foule qui les acclame sur la Piazza.

Paris. — A Montmartre, face au moulin de la Galette, Dali est en train d'illustrer son *Don Quichotte* à coups d'arquebuse sur pierre lithographique. Il déclare : « Les moulins font de la farine — moi, maintenant, avec de la farine, je vais faire des moulins. » Et, remplissant deux cornes de rhinocéros de farine et de mie de pain trempée dans l'encre lithographique, il les projette violemment, réalisant ce qu'il vient d'annoncer.

Madrid. — Dali prononce un discours invitant Picasso à rentrer en Espagne. Il commence en proclamant : « Picasso est Espagnol — moi aussi ! Picasso est un génie — moi aussi ! Picasso est communiste — moi non plus ! »

Glasgow. — Le fameux *Christ de saint Jean de la Croix* de Dali vient d'être acheté par accord unanime de la municipalité. Le prix payé pour cette œuvre soulève des indignations et une controverse acharnée.

Nice. — Dali annonce un film avec Anna Magnani, *La Brouette de chair*, où l'héroïne tombe amoureuse folle d'une brouette.

Paris. — Dali traverse la ville portant en procession une flûte de pain de 15 mètres de long. On dépose la flûte sur la scène du Théâtre de l'Étoile, où il prononce un discours hystérique sur la « cosmic glue » d'Heisenberg.

Barcelone. — Dali et Luis Miguel Dominguin ont décidé de réaliser une course de taureaux surréaliste, à la fin de laquelle un hélicoptère, habillé en Infante dans une robe de Balenciaga, emportera au ciel le taureau sacrifié qui sera ensuite déposé dans la montagne sacrée de Montserrat pour être dévoré par les vautours. En même temps, dans un Parnasse improvisé, Dominguin couronnera Gala, déguisée en Léda, aux pieds de laquelle Dali sortira nu d'un œuf.

LONDRES. — Dans le planétarium, on reconstitue les astres au moment de la naissance de Dali dans le ciel de Port Lligat. Il se proclame, d'après les analyses de son psychiatre, le docteur Roumeguère[1], l'incarnation avec Gala du mythe cosmique et sublime des Dioscures (Castor et Pollux). « Gala et moi, nous sommes les enfants de Jupiter. »

NEW YORK. — Dali débarque à New York habillé dans le costume d'un scaphandrier de l'espace en or, à l'intérieur du fameux « ovocipède » de son invention : sphère transparente, nouveau moyen de locomotion basé sur les phantasmes provoqués par les paradis intra-utérins.

Jamais, jamais, jamais, jamais l'excès d'argent, de publicité, de succès ou de popularité ne m'a donné — ne serait-ce qu'un quart de seconde — l'envie de me suicider... bien au contraire, j'aime cela. Dernièrement, un ami, qui ne pouvait pas comprendre que tout ce bruit ne me fasse pas souffrir, me demanda, tentateur :

— Alors, vous ne ressentez aucune sorte de souffrance avec tant de réussite ?

— Non !

Et, suppliant :

— Même pas une toute petite sorte de névrose ? (Son expression voulait dire : « par charité ».)

— Non ! répondis-je catégoriquement.

Puis, comme il était excessivement riche, j'ajoutai :

— Je peux vous prouver que je suis susceptible d'accepter 50 000 dollars tout de suite, sans broncher.

---

1. Le docteur Pierre Roumeguère, de la Faculté de Médecine de Paris, est, entre autres choses, l'auteur d'une étude sur « La mystique dalinienne devant l'histoire des religions » que l'on trouvera en annexe.

Tout le monde, surtout en Amérique, veut savoir la méthode secrète de ce succès. Cette méthode existe. Elle s'appelle la « méthode paranoïa-critique ». Il y a plus de trente ans que je l'ai inventée et que je la pratique avec réussite bien que je ne sache pas encore au moment présent en quoi elle consiste. D'une façon générale, il s'agirait de la systématisation la plus rigoureuse des phénomènes et des matériaux les plus délirants, dans l'intention de rendre tangiblement créatives mes idées les plus obsessivement dangereuses. Cette méthode ne fonctionne qu'à la condition de posséder un moteur mou d'origine divine, un nucléus vivant, une Gala — et il n'y en a qu'une.

Donc, comme échantillon, je vais régaler les lecteurs de mon journal du récit d'un seul jour — qui est celui de la veille de mon dernier départ de New York — vécu d'après la fameuse méthode paranoïa-critique.

Au petit matin, je rêve que je suis l'auteur de plusieurs excréments blancs, très propres et fort agréables à produire. En me réveillant, je dis à Gala :

— Aujourd'hui, il y aura de l'or !

Car ce rêve, d'après Freud, indiquait sans euphémisme ma parenté avec la poule aux œufs d'or et l'âne légendaire qui, lorsqu'on lui soulevait la queue, chiait de la monnaie d'or, sans parler de la divine diarrhée d'or semi-liquide de Danaé. Moi-même depuis une semaine, je me sentais devenir creuset d'alchimiste et j'avais projeté pour minuit — ma dernière nuit à New York avant mon départ — de réunir au Champagne-Room d'El Morocco un groupe de mes amis, parmi lesquels se distinguaient les quatre plus jolis modèles de la ville qui resplendissaient déjà comme l'annonce d'un possible Parsifal. Ce possible Parsifal, que je me promettais de mettre au point au cours des événements de la journée, stimulait prodigieusement toutes mes capacités d'action, et mon pouvoir, qui allait être ce jour-ci suprême, résoudrait tous les problèmes d'une façon expéditive leur faisant claquer les talons chaque fois, à la manière prussienne.

A onze heures et demie, je pars de l'hôtel avec deux objectifs précis : réaliser une photographie de type irrationnel chez Philippe Halsman et, avant le déjeuner, tâcher de vendre mon tableau, *Saint Jacques de Compostelle, Patron d'Espagne*, au milliardaire et mécène américain, Huntington-Hartford. Par pur hasard, l'ascenseur s'arrête au deuxième étage, où je suis acclamé par une foule de journalistes qui m'attendaient car j'avais oublié complètement une conférence de presse au cours de laquelle je devais présenter mon projet d'une nouvelle bouteille de parfum. On me photographie au moment où l'on me remet le chèque que je plie et garde dans la poche de mon gilet, légèrement contrarié parce que je n'avais d'autre solution à leur offrir que de dessiner sur le vif le flacon stipulé dans le contrat auquel je n'avais plus pensé. Sans hésiter, je ramasse une ampoule de flash grillée par un photographe. Elle est bleu anisette. Je la montre comme un objet précieux entre mon pouce et mon index.

— Voilà mon idée !

— Ce n'est pas dessiné !

— C'est beaucoup mieux ! Voilà votre modèle tout prêt ! On n'a qu'à le reproduire scrupuleusement !

Je presse l'ampoule doucement sur la table, elle craque imperceptiblement et s'aplatit assez pour tenir debout. Je montre la douille qui sera son bouchon d'or. Le parfumeur extasié pousse un cri :

— C'est l'œuf de Colomb, mais il fallait y penser ! Mais quel est, mon cher maître, le nom de ce parfum unique qui est destiné à la Nouvelle Vague ?

Dali répond d'un seul mot :

— Flash !

— Flash ! Flash ! Flash ! s'écrie tout le monde, Flash !

Tout comme dans un super Charles Trenet. On me rattrape à la porte pour me demander :

— Qu'est-ce que la mode ?

— Ce qui se démode !

On me supplie de lancer une dernière idée dalinienne sur ce que devraient porter les femmes.

Tout en parlant je réponds :

— Des seins dans le dos !

— Pourquoi ?

— Parce que les seins contiennent du lait blanc capable de créer un effet angélique.

— Vous faites allusion au teint immaculé des anges ? me demande-t-on.

— Je fais allusion aux omoplates des femmes. Si on fait surgir deux jets de lait, prolongeant ainsi leurs omoplates et si on obtient une photographie stroboscopique du résultat, on aura exactement des « ailes d'ange à gouttelettes » pareilles à ce que peignait Memling.

Muni de cette idée angélique, je me dirige vers mon rendez-vous chez Philippe Halsman, avec la ferme décision de recréer photographiquement les ailes à gouttelettes qui venaient de me surprendre et de fasciner.

Mais Halsman n'était pas équipé pour une photographie stroboscopique, et je décide sur le tas de photographier l'histoire capillaire du Marxisme. A cet effet, je fais accrocher à mes moustaches six rondelles de papier blanc, à la place de mes gouttelettes. Dans chacune des rondelles Halsman surimpose successivement par ordre les portraits de : Karl Marx, avec barbe et chevelure léonines ; Engels, avec les mêmes attributs capillaires considérablement diminués ; Lénine, quasi chauve, moustache et barbiche rares ; Staline aux poils drus limités à la moustache ; Malenkov tout rasé. Comme il me reste une dernière rondelle, je la réserve prophétiquement à Khrouchtchev qui a une tête lunaire[1]. Aujourd'hui Halsman s'arrache les rares cheveux qui lui restent, surtout après son retour de Russie, où cette photographie a été l'une des plus fêtées de son livre « Dali Moustache ».

---

1. Simon et Shuster qui publièrent le livre d'Halsman *Dali moustache* conseillèrent à Dali de s'abstenir de toute prophétie, l'improbabilité des prophéties pouvant compromettre la perfection de ce qui précédait.

J'arrive chez Huntington-Hartford, ayant dans une main la dernière rondelle sans visage et dans l'autre main la reproduction de mon saint Jacques que je venais lui montrer. A peine dans l'ascenseur, je me souviens qu'à l'étage au-dessus de Huntington-Hartford vit le prince Ali Khan. Et, à cause de mon snobisme congénital et indomptable, après un instant d'hésitation, je donne au garçon d'ascenseur la reproduction de saint Jacques en cadeau-hommage au prince. Je me sens instantanément cocu, car je pénètre chez Huntington-Hartford non seulement avec les mains vides mais avec une rondelle vide, doublement risible car elle pend à un fil. Je commence à goûter l'absurde de la situation tout en me disant que ça tournera très bien. En effet, ma méthode paranoïa-critique va utiliser tout de suite cet événement délirant pour le convertir en l'incident le plus fructueux de la journée. Le capital de Karl Marx faisait déjà du bruit dans le futur œuf dalinien de Christophe Colomb.

Huntington-Hartford demande aussitôt si j'apporte la reproduction en couleurs du saint Jacques. Je dis non. Il demande alors si l'on peut aller à la Galerie pour déballer le grand tableau. A ce moment précis, je décide, sans savoir pourquoi, que le saint Jacques doit être vendu au Canada.

— C'est mieux que je vous fasse un autre tableau : « La découverte du Nouveau Monde par Christophe Colomb. »

C'est comme un mot magique, et c'en est un ! Car le futur musée Huntington-Hartford doit être érigé au Colombus Circle, en face de l'unique monument représentant Christophe Colomb, coïncidence que nous ne découvrîmes que plusieurs mois après. Au moment d'écrire, mon ami le docteur Colin qui est présent m'arrête et me demande si j'ai remarqué que l'ascenseur de la maison du Prince est fabriqué par Dunn et Co. Or, c'est à Lady Dunn que j'ai pensé consciemment pour acheter le « Saint Jacques » et il se trouve qu'elle l'a acheté par la suite.

Je remercie encore maintenant Philippe Halsman d'avoir refusé de mettre dans la dernière rondelle le portrait de Khrouchtchev. Je me crois le droit de l'appeler maintenant « mon colombus circle », car sans cela, je n'aurais peut-être jamais peint le rêve cosmique de Christophe Colomb. Or, les dernières cartes géographiques découvertes par des historiens soviétiques viennent de prouver exactement la thèse développée dans mon tableau, rendant ainsi cette œuvre spécialement appropriée à une exposition en Russie. Aujourd'hui même un ami, S. Hurok, part avec une reproduction de cette toile, proposer au Gouvernement soviétique des échanges culturels qui me réuniront à deux grands compatriotes : Victoria de Los Angeles et Andrès Segovia.

J'arrive cinq minutes en avance pour déjeuner avec Gala. Je n'ai pas le temps de m'asseoir. On m'appelle de Palm Beach, M. Winston Guest est en ligne et me commande de peindre « La Vierge de Guadalupe » ainsi que le portrait de son fils de 12 ans, Alexander, dont j'ai remarqué qu'il a les cheveux en brosse comme un petit poussin. Au moment d'aller me rasseoir, on m'appelle à une table voisine où l'on me demande si j'accepterais de faire un œuf émaillé dans la tradition de Fabergé. Cet œuf est destiné à contenir une perle.

Mais je ne savais pas si j'avais faim ou ressentais un malaise ; ça pouvait provenir aussi bien d'une légère envie de vomir que de l'émotion érotique toujours présente et chaque fois plus précise à l'idée du Parsifal qui m'attendait à minuit. Pour tout déjeuner, je ne prends qu'un seul œuf à la coque avec des biscottes. Ici encore, il faut remarquer que la méthode paranoïa-critique doit agir efficacement à travers ma biochimie paranoïaque viscérale pour ajouter l'albumine nécessaire à l'éclosion de tous les œufs invisibles et imaginaires que j'ai portés tout l'après-midi au-dessus de ma tête, ces œufs si semblables à celui de la perfection euclidienne que Piero della Francesca a suspendu au-dessus de la tête de la Vierge. Cet œuf devenait pour moi l'Épée de Damoelès, que seuls les rugissements télécommandés du petit lion infiniment tendre (je parle de Gala) empêchaient à tout moment de tomber et de me fendre le crâne.

Dans la pénombre du Champagne-Room brillait déjà le satellite érotique de minuit, mon Parsifal dont l'idée me poussait chaque seconde à devenir de plus en plus vertueux. Après être monté dans l'ascenseur des Princes et milliardaires, par pure vertu je me sentis obligé de descendre à la cave des gitanes. Exténué, je vais donc rendre visite à la petite danseuse gitane, la Tchunga, qui s'apprêtait à danser pour des réfugiés espagnols dans Greenwich Village.

A ce moment les « flashes » de photographes qui veulent nous avoir ensemble me paraissent ignominieusement écœurants pour la première fois de ma vie, et je sens que le moment est venu de les ingurgiter, afin de pouvoir les rendre viscéralement. Je demande à un ami qu'il me ramène à l'hôtel. Encore avec les phosphènes des œufs sur le plat, sans plat, au fond de mes yeux fermés, meurtris, je vomis copieusement et, presque simultanément, je chie avec une abondance jamais atteinte dans ma vie. Ceci pose pour moi ce problème diplomatique et buridanesque, qui me fut raconté par José Maria Sert, sur quelqu'un qui, affecté d'une haleine tellement putride et ayant éructé d'une façon dépassant toute mesure d'ignominie, se vit conseiller avec tact :

— Celui-là, ça vous aurait été plus avantageux de le péter.

Je me couche trempé d'une sueur froide qui est comme la rosée des alchimistes, et un des sourires les plus rares et les plus intelligents que Gala ait jamais vus apparaître sur mes lèvres éveille dans son regard une interrogation dont elle ne peut pas deviner la réponse peut-être pour la première fois de notre vie. Je lui dis :

— Je viens d'éprouver la sensation simultanée et très agréable que, tout en étant en puissance de faire sauter les banques, je suis en train de perdre une fortune.

Car, sans les scrupules de Gala, d'une pureté mille et mille fois patiemment distillée, et avec son habitude féroce de respecter les prix réels établis, j'aurais pu facilement et sans fraude amplifier follement le résultat déjà doré de ma fameuse méthode paranoïacritique. Donc, c'est encore une fois la vertu paroxystique de l'œuf de l'alchimiste, comme on le croyait au Moyen Age, qui permet la transmutation de l'esprit et des métaux précieux.

Mon docteur, le docteur Carballeiro, qui accourt me visiter, explique que c'est uniquement ce qu'on appelle le « flu » de 24 heures. Demain je pourrai partir pour l'Europe où j'ai juste assez de fièvre pour réaliser mon rêve « clédaniste [1] » le plus secret, le plus précieux, celui qu'en réalité j'ai poursuivi sans le savoir à travers tout le matériel irrationnel et imaginatif de la journée, afin de faire triompher mon ascétisme et ma fidélité totale et sans tache à Gala. J'envoie un émissaire à mes invités pour expliquer que je ne peux pas les rejoindre, en faisant téléphoner au Champagne-Room pour qu'ils soient servis royalement (quoique avec certaines restrictions) et c'est ainsi que mon Parsifal de minuit, sans œufs et sans plat, se déroula tandis que Gala et Dali s'endormaient du sommeil des justes...

Le lendemain, pendant que sur le « United States » je commençais mon voyage de retour en Europe, je me demandais : je voudrais bien savoir qui est aujourd'hui capable en un seul jour (jour déjà contenu dans l'espace temps de l'œuf excrémentiel de mon rêve matinal) de réussir à transmuer en créativité précieuse tout le temps informe et brut de mon matériel délirant. Qui, avec l'éclair d'un seul œuf, aurait pu accrocher à sa moustache unique

---

1. Clédanisme : perversion sexuelle dérivée du nom de Solange de Cléda.

toute l'histoire passée et future du Marxisme ? Qui aurait pu trouver le numéro 77.758.469.312, chiffre magique capable d'égarer sur son chemin possible toute la peinture abstraite et l'art moderne en général ? Qui aurait réussi à faire pénétrer mon plus grand tableau, « Le rêve cosmique de Christophe Colomb », à l'intérieur d'un musée en marbre, trois ans avant que ce musée soit construit ? Qui, je le répète, en un seul après-midi, aurait pu amasser, avec les jasmins érotiques de Gala, tant de parfaite pureté d'œufs blanchissimes, dépassant toute celle passée et à venir, et les mélanger aux idées les plus peccables de Dali ? Qui, en effet, a pu être capable de tant vivre et de tant agoniser, de tant s'abstenir de manger et de tant vomir, et de ne quasi-rien tant transmuer ? Celui qui en serait plus capable, qu'il me jette la pierre ! Dali est déjà à genoux pour la recevoir en pleine poitrine, car ce ne peut plus être que la pierre philosophale.

Maintenant, montons de l'anecdote aux hiérarchies de la catégorie sur le nucléus vivant de Gala, ce moteur mou qui fait fonctionner ma méthode paranoïa-critique, métamorphosant en or spirituel un des jours les plus ammoniacaux et démentiels de ma vie à New York. Voilà, à la suite, comment agit ce même nucléus galarinien transposé dans le domaine suprêmement animiste des espaces homériques de Port Lligat.

le 2

Je rêve de mes deux toutes petites pitoyables et presque translucides dents de lait que j'ai perdues tellement tard et, au réveil, je prie Gala qu'elle essaie, pendant la journée, de reconstituer l'effet originel de ces deux petites dents à l'aide de deux grains de riz accrochés au plafond par un fil. Ils représenteront le symbole primitif de notre début lilliputien, que je veux à tout prix faire photographier par Robert Descharnes.

Pendant toute la journée je ne ferai rien, car c'est ce que j'ai la coutume de faire pendant les six mois que j'habite annuellement à Port Lligat. Rien, c'est-à-dire que je peins sans interruption. Gala est assise sur mes pieds nus comme un singe de l'espace, ou comme une giboulée de mai, ou comme une minuscule corbeille tressée avec des myrtilles sauvages. Pour ne pas perdre mon temps, je lui demande si elle peut m'établir une liste des « pommes historiques ». Elle me la débite sous forme de litanie :

— Pomme du péché originel d'Ève, pomme anatomique d'Adam, pomme esthétique du jugement de Pâris, pomme de l'affectivité de Guillaume Tell, pomme de la gravité de Newton, pomme structurale de Cézanne...

Puis elle me dit en riant :

— Plus de pommes historiques, car la prochaine, c'est la pomme nucléaire qui éclatera.

— Fais-la éclater ! lui dis-je.

— Elle éclatera à midi.

Je la crois, parce que tout ce qu'elle dit est vrai. A midi, le tout petit chemin de 5 mètres à côté de notre patio se trouvait allongé de trois cents mètres, car Gala avait acheté en cachette l'olivette voisine où, pendant la matinée, on avait marqué à la chaux un chemin tout blanc. Le début du chemin était marqué par un grenadier — c'était là la pomme grenade explosive !

Puis Gala, allant au-devant de mes désirs, me proposa l'invention d'une boîte composée de six parois en cuivre vierge, destinée à recevoir la mitraille constituée par des clous et autres métaux cunéiformes. Cette boîte, avec l'explosion de la grenade qui éclaterait en son centre, graverait instantanément et apocalyptiquement les six illustrations de mon Apocalypse d'après saint Jean [1].

1. Publié par Joseph Foret, à Paris, en 1960.

« Cœur, qu'est-ce que tu veux ? Cœur, qu'est-ce que tu désires ? » C'est ce que ma mère me disait chaque fois qu'elle se penchait sur moi avec sollicitude. Pour remercier Gala de sa pomme grenade explosive, je lui ai répété :

— Cœur, qu'est-ce que tu veux ? Cœur, qu'est-ce que tu désires ?

Et elle m'a répondu avec un nouveau cadeau pour moi :

— Un cœur en rubis qui bat !

Ce cœur est devenu le fameux bijou de la collection de Cheatham, exhibé dans le monde entier.

Mon petit singe de l'espace venait de s'asseoir sur mes pieds nus pour se reposer de son rôle de Léda Atomica, que j'étais en train de repeindre. Mes orteils sentirent une tiédeur qui ne pouvait venir que de Jupiter, et je lui exprimai mon nouveau caprice, qui me paraissait cette fois-ci impossible :

— Fais-moi un œuf !

Elle m'en fit deux.

Le soir, dans notre patio — oh ! grand mur de l'Espagne de Garcia Lorca ! — j'ai écouté enivré de jasmin la thèse du docteur Roumeguère, d'après laquelle Gala et moi nous incarnons le mythe sublime des Dioscures, nés de l'un des deux œufs divins de Léda. A ce moment, comme si on « décoquillait » l'œuf de nos deux habitations, je me suis rendu compte que Gala me commandait d'avance encore une troisième habitation, une énorme chambre parfaitement sphérique et lisse, que l'on est en train de construire en ce moment.

Je vais m'endormir comme un œuf comblé de satisfactions, tout en récapitulant que, pendant cette journée, et sans avoir besoin de recourir à ma fameuse activité paranoïa-critique, j'ai eu deux nouveaux cygnes (que j'avais oublié de mentionner), une pomme grenade explosive, un cœur en rubis qui bat, l'œuf de la Leda Atomica[1]

1. Allusion au tableau de Dali (1954) appartenant à Mme Gala Dali « entièrement bâti d'une façon invisible, d'après la divine proportion de Luca Pacioli ».

de notre propre déification, et tout cela dans l'unique intention de protéger mon travail avec la salive alchimique de la passion. Mais ce n'était pas tout !

A dix heures et demie, je suis réveillé dans mon premier sommeil par une délégation de la mairie de Figueras, ma ville natale, demandant à me voir. Il était écrit que la satisfaction contenue dans mon œuf devait atteindre un apogée gigantesque. Les géants que Gala, il y a plusieurs années, avait inventés avec Christian Dior pour le bal Beisteigui devaient se matérialiser ce soir en la personne de Gala et en la mienne. En effet, les émissaires du Maire sont venus me faire part de leurs désirs d'incorporer dans la mythologie de l'Ampurdan deux géants processionnels aux effigies de Gala et de moi-même. Après cela, je vais pouvoir enfin m'endormir pour de bon. Les deux dents de lait d'une blancheur douteuse du rêve matinal, que j'ai désiré suspendre précairement chacune à un fil, se sont transmuées au seuil du rêve de la nuit en les deux authentiques géants d'une blancheur irrécusable de certitude que nous sommes. Ils marchent fermement, les quatre pieds sur le chemin de Gala, portant très haut les tableaux de mes œuvres gigantesques, alors que nous nous apprêtons à reprendre et continuer notre pèlerinage dans le monde.

Et si dans notre époque de quasi-nains, le scandale colossal d'avoir du génie nous permet de ne pas être lapidés comme des chiens ou de crever de faim, ce ne sera que par la grâce de Dieu.

1959

1.

1. A la porte de Dali, on trouve en cette année 59 un écriteau en anglais et en français : « Prière de ne pas déranger. Please do not disturb ! » Dali peint, écrit, médite. Plus tard, il nous livrera le secret de cette année, une des plus riches de sa vie

1960

MAI

Au milieu d'une foule innombrable qui murmure mon nom et m'appelle « maître », je vais inaugurer l'exposition de mes cent illustrations de la Divine Comédie au Musée Galliera. C'est une sensation extrêmement agréable que celle de cette admiration qui monte en effluves magiques jusqu'à moi, cocufiant et recocufiant l'art abstrait qui s'en meurt d'envie. Comme on me demande pourquoi j'ai rehaussé de couleurs claires l'enfer, je réponds que le romantisme a perpétré l'ignominie de faire croire que l'enfer était noir comme les mines de charbon de Gustave Doré où l'on ne voit rien. Tout cela est faux. L'enfer de Dante est éclairé par le soleil et le miel de la Méditerranée, et c'est pour cela que les terreurs de mes illustrations sont analytiques et supergélatineuses avec leur coefficient de viscosité angélique.

L'hyperesthésie digestive de deux êtres s'entre-dévorant pour la première fois peut être observée dans mes illustrations en pleine lumière. C'est un jour frénétique de joie mystique et ammoniacale.

J'ai voulu que mes illustrations pour le Dante soient comme des empreintes légères de l'humidité d'un fromage divin. De là, leur aspect bariolé d'ailes de papillons.

La mystique, c'est le fromage ; le Christ c'est du fromage, mieux encore des montagnes de fromage ! Saint Augustin ne rapporte-t-il pas que le Christ est dit dans la bible « montus coagulatus, montus fermentatus », ce qui doit être compris comme une véritable montagne de fromage ! Ce n'est pas Dali qui le dit, c'est saint Augustin, et Dali le redit.

Depuis les débuts divins de la Grèce immortelle, les Grecs firent de l'angoisse de l'espace et du temps, des Dieux psychologiques et de sublimes agitations tragiques de l'âme humaine, tout l'anthropomorphisme mythologique. Dans la lignée des Grecs, Dali n'est satisfait que lorsqu'il fabrique avec les angoisses de l'espace, du temps et des agitations quantifiées de l'âme un fromage ! Et un fromage mystique, divin[1] !

---

1. L'exposition de musée Galliera eut lieu du 19 au 31 mai attirant une foule considérable. A cette occasion fut édité un catalogue en hommage à Dali avec la collaboration de Clovis Eyraud, René Héron de Villefosse, Marcel Brion, Raymond Cogniat, Jean-Marc Campagne, Jean Bardiot, Bruno Froissart, Pierre Guégen, Claude Roger-Marx, J.-P. Crespelle, Jean Cathelin, Gaston Bonheur, André Parinaud, Paul Carrière.

SEPTEMBRE

le 1ᵉʳ

Vingt ans après avoir écrit l'épilogue de ma « Vie secrète », mes cheveux continuent à être noirs, mes pieds n'ont pas connu encore le stigmate dégradant d'un seul cor, et l'obésité incipiente de mon ventre s'est corrigée, retrouvant, après mon opération de l'appendicite, un galbe approchant celui de mon adolescence. Tout en attendant la foi qui est une grâce de Dieu, je suis devenu un héros. Je me trompais — deux héros ! Le héros, d'après Freud, est celui qui se révolte contre l'autorité paternelle et le père, et finit par les vaincre. Ce fut le cas avec mon père qui m'aimait tant. Mais il put si peu m'aimer dans sa vie que, maintenant qu'il est au ciel, il est au sommet d'une autre tragédie cornélienne : il ne peut être heureux que parce que son fils est devenu un héros à cause de lui. La situation est la même avec Picasso, qui est mon deuxième père spirituel. M'étant révolté contre son autorité et étant en train de le vaincre aussi cornéliennement, Picasso pourra en jouir, lui, pendant sa vie. Si l'on doit être héros, il vaut mieux être héros deux fois que pas du tout. Aussi, depuis mon épilogue, je n'ai pas divorcé comme tout le monde mais, au contraire, je me suis remarié avec ma propre femme, cette fois dans le giron de l'Église catholique, apostolique et romaine, aussitôt que le premier poète de France[1], qui était aussi le premier mari de Gala, nous rendit la chose possible par sa mort. Mon mariage secret eut lieu dans l'Ermitage de la Vierge aux Anges et me combla d'une frénésie dépassant toute mesure, car maintenant je sais qu'il n'existe pas sur terre de récipient capable de contenir les élixirs précieux de ma soif inépuisable de cérémonial, de rite et de sacré.

Quinze minutes après mon remariage, j'étais possédé corps et âme par un caprice nouveau, une espèce de rage aux dents de me remarier encore une fois avec Gala. De retour au crépuscule à Port Lligat, devant la mer, à marée montante, je rencontrais un évêque assis (il m'arrive souvent dans ma vie de rencontrer des évêques assis à des moments semblables). Je baisai sa bague, mais je la lui baisai avec une double reconnaissance après qu'il m'eut expliqué que mon remariage était possible encore une fois grâce au rite copte, l'un des plus longs, compliqués et exténuants rites qui existent. Il me disait que cela n'ajouterait rien au sacrement catholique, mais que cela n'enlèverait non plus rien. Cela est pour toi, Dali, Dioscure ! Après avoir possédé tant d'œufs sur le plat sans le plat, il te manquait encore dans ta vie de posséder cela : un rien double — double rien — qui ne serait rien s'il n'était sacré.

Pour cela, à ce point de ma vie, il me fallait inventer une grande fête dalinienne. Cette fête, je vais la donner un jour. Mais, en attendant, Georges Mathieu m'accorde sa confiance de gentilhomme en écrivant :

« Si en France la décadence des fêtes de cour commence avec les Valois qui en chassent la foule, elle s'accélère avec l'influence italienne qui les transforme en spectacles à signification mythologique ou allégorique dont le seul but n'est plus que d'éblouir par la magnificence et le "bon

---

1. Paul Eluard.

goût". Les fêtes mondaines actuelles qui en sont issues — qu'elles soient le fait de MM. Arthur Lopez et Charles de Beistegui, des marquis de Cuevas ou d'Arcangues — ne sont que des "reprises" archéologiques.

« Vivre c'est d'abord participer. Depuis Denys l'Aréopagite, personne en Occident, ni Léonard de Vinci, ni Paracelse, ni Goethe, ni Nietzsche n'ont mieux que Dali été en communion avec le cosmos. Faire accéder l'homme au processus créateur, alimenter la vie cosmique et sociale, tel est le rôle de l'artiste, et c'est sans doute le plus grand mérite des Princes de l'Italie de la Renaissance que d'avoir compris cette évidence et d'avoir confié l'organisation de leurs fêtes à Vinci ou à Brunelleschi.

« Doué de la plus prodigieuse imagination, ayant le goût du faste, du théâtre, du grandiose, mais aussi celui du jeu et du sacré, Dali déconcerte les esprits superficiels parce qu'il occulte les vérités par la lumière et parce qu'il utilise la dialectique de l'analogie plutôt que celle de l'identité. Pour ceux qui se donnent la peine de chercher le sens ésotérique de ses gestes, il apparaît comme le plus modeste et le plus fascinant enchanteur poussant la lucidité jusqu'à savoir qu'il est plus important comme génie cosmique que comme peintre. »

J'ai répondu à tant de gentillesse par « L'Orgueil du Bal de l'Orgueil », qui contient mes idées généralissimes sur ce que doit être aujourd'hui une fête, et cela afin d'apaiser prudemment et très en avance tous ceux de mes amis que je n'inviterai pas.

« Les fêtes de notre temps seront les apothéoses lyriques de la cybernétique orgueilleuse humiliée et cocufiée, car seule la cybernétique pourra accomplir la sainte continuité de la tradition vivante des fêtes. En effet, au moment algide de la Renaissance, la fête actualisait les plaisirs existentiels quasi instantanés et paroxystiques de toutes les structures morales d'information : snobismes, espionnages, contre-espionnages, machiavélismes, liturgies, cocuages esthétiques, jésuitismes gastronomiques, malaises féodaux et lilliputiens, compétitions entre crétins mous...

« Aujourd'hui, seule la cybernétique avec la potentialité suprême de la théorie de l'information pourra instantanément rendre cocus sur de nouveaux sujets statistiques tous les participants de la fête et, d'emblée, tous les snobs puisque comme le disait le comte Étienne de Beaumont : "On donne des fêtes surtout pour ceux que l'on n'invite pas."

« L'éblouissement scatologique du sacré qui doit être la virgule pointilliste culminante de toute fête qui se respecte sera, de même que dans le passé, exprimé par le rite sacrificiel de l'archétype. De même qu'au temps de Léonard on procédait à l'éventrement du dragon des blessures duquel émergeaient des fleurs de lys, aujourd'hui on devra procéder à l'éventrement des machines cybernétiques les plus perfectionnées, les plus complexes, les plus coûteuses, les plus ruineuses pour la communauté. Elles seront sacrifiées pour le seul bon plaisir et divertissement des princes, recocufiant ainsi la mission sociale de ces formidables machines qui par leur pouvoir d'informations instantanées et prodigieuses n'auront servi qu'à procurer un orgasme mondain passager et à peine intellectuel à tous ceux venus se brûler à la flamme glaciale des feux de diamants cocufieurs de la fête supracybernétique.

« N'oublions pas que ces orgies d'informations devront être abondamment arrosées par le sang et le bruit de fortes doses d'opéras, d'irrationalité concrète, de musique concrétissime et de décors abstraits mathieusiens et millarésiens, comme celles déjà fameuses où Dali veut le volume de bruit lyrique provoqué par la castration-supplice et la mise à mort de 558 porcs sur fond sonore de 300 motocyclettes, moteurs en marche, sans jamais oublier les hommages rétrospectifs tels que les passages d'orgues remplis de chats attachés aux claviers afin de

mêler leurs miaulements irascibles à la divine musique du
Padre Vittoria que Philippe II d'Espagne pratiqua déjà en
son temps.

« Les nouvelles fêtes cybernétiques de l'information inutile, que je dois me retenir de ne pas déjà décrire avec la
minutie qui a fait ma gloire, surgiront spontanément aussitôt que les monarchies traditionnelles seront restaurées
créant ainsi l'unité espagnole de l'Europe.

« Les rois et les princes et tous les courtisans se donne-
ront un mal fou pour réussir ces fastueuses fêtes tout en
sachant très bien que l'on ne donne pas des fêtes pour
s'amuser mais bien pour essayer de nourrir l'orgueil de
leurs peuples. »

Je reste encore une fois de plus fidèle à mes projets sans
le plat de mon épilogue en me refusant obstinément à
partir pour la Chine ou à entreprendre n'importe quel
voyage dans n'importe quel proche ou lointain Orient. Les
deux endroits que je ne veux pas cesser de voir à chaque
fois que je retourne à New York — ce qui se fait mathéma-
tiquement et régulièrement une fois par an — sont toujours les glorieuses portes du métro de Paris, incarnation
gluante de toute la nourriture spirituelle du Nouvel Age —
Marx, Freud, Hitler, Proust, Picasso, Einstein, Max
Planck, Gala, Dali, et tout, et tout, et tout ; l'autre endroit,
c'est la très insignifiante gare de Perpignan, où pour des
raisons qui ne me sont pas encore bien connues le cerveau
et l'âme de Dali ont trouvé les plus sublimes idées. C'est à
partir des idées de la gare de Perpignan que :

> Tout en cherchant le « quantum d'action »
> La pinturelle, la pinture re le, la pinture re le la...
> Tout en cherchant le « quantum d'action »
> Combien d'expériences il peinturlura là
> La pinturelle, la pinture re le, la pinture re le la.

Il me fallait trouver en peinture ce « quantum d'action »
qui régit aujourd'hui les structures microphysiques de la

matière, et cela ne pouvait se trouver que par ma capacité de provoquer — provocateur suprême que je suis — tous les genres d'accidents pouvant échapper au contrôle esthétique et même animiste, afin de pouvoir communier avec le cosmos... la pinturelle, la pinture re le, la pinture re le la... la cosmorelle, la cosmore re le, la cosmore re le la. Je commençais par le tout-à-l'égout... la pinturelle, la pinture re le, la pinture re le la... l'égouterelle, l'égoutere re le, l'égoutere re le la. J'exprimais les boues et les substances de pieuvres pieuvreuses du fond de la mer. Avec des pieuvres vivantes je pieuvrais. J'ai fait peindre aussi les oursins, leur injectant de l'adrénaline pour convulser leurs agonies, tout en leur plantant au milieu de leurs cinq dents de la bouche d'Aristotèle une tige capable d'enregistrer leur moindre oscillation sur une surface paraffinée. Je profitais d'une pluie de petits crapauds tombés du ciel au cours de l'orage pour qu'ils dessinent eux-mêmes, par leur propre éventrement, une broderie crapaudienne d'un costume de Don Quichotte. Je mêlais des femmes nues aux corps trempés de peinture, converties en torchons vivants, mêlées à des porcs tout frais châtrés et des motocyclettes, moteurs en marche, le tout enfermé dans des sacs appropriés à recevoir des maculations imprévisibles. Je faisais exploser des cygnes vivants truffés d'une pomme grenade afin de pouvoir enregistrer stroboscopiquement la moindre déchirure viscérale de leur physiologie quasi vivante.

Un jour, je suis monté à toute vitesse à l'olivette où j'avais pratiqué toutes ces expériences, mais je n'avais ni ma mitrailleuse liquide ni le rhinocéros vivant que j'aurais voulu aussi pour les empreintes, ni même une pieuvre quelconque à moitié morte, c'est l'unique fois où, comme cela n'était pas non plus arrivé à Louis XIV, « j'ai failli attendre ». Mais Gala était là. Elle venait de trouver un pinceau et elle me le donna :

— Essaie donc — peut-être avec cela !

J'essayai. — Le miracle se produisit ! Toutes les expériences de vingt ans venaient de surgir de quelques uniques archangéliques coups de pinceau ! Tout ce que le long de ma vie je n'avais que soupçonné venait de se réaliser. Le « quantum d'action » de la pinturelle... de la pinture re le... de la pinture re le la... résidait dans le coup de pinceau nonchalant d'héroïsme de Don Diego Vélasquez de Silva, et pendant que Dali peignait... et la pinturelle, et le pinture re le, et la pinture re le la... j'entendis Vélasquez qui parlait, et son pinceau disait en s'écoulant : « T'es-tu fait mal, mon enfant ? »... et la pinturelle, et la pinture re le, et la pinture re le la.

En plein chaos antiréaliste, au moment de l'apogée de l'« Action Painting », quelle force que celle de Vélasquez ! Après trois cents ans il apparaît comme le seul grand peintre de l'histoire. Alors, Gala, avec cette modestie orgueilleuse que seul son peuple est capable de concéder au héros qui réussit :

— Oui, mais tu l'as beaucoup aidé !

Je la regardais, mais je n'avais pas besoin après cela de le faire pour savoir qu'avec sa chevelure et mes moustaches, après la noisette poilue, le singe de l'espace et la corbeille tressée de myrtilles, elle allait ressembler à un Vélasquez giboulée de Mai, avec lequel je pourrais faire l'amour.

La peinture c'est l'image aimée qui rentre par les yeux et s'écoule par la pointe du pinceau — et l'amour, c'est la même chose !

Chafarrinada, chafarrinada, chafarrinada, chafarrinada, chafarrinada — c'était le nouveau sperme duquel allaient naître tous les futurs peintres du monde, car les « chafarrinadas » de Vélasquez sont œcuméniques.

1961

1.

1. Le gros cahier de compte à l'aspect notarial sur lequel Dali a noté les pensées de l'année 61 porte en lettres majuscules rouges TOP SECRET. Plus tard, nous saurons aussi ce que cogitait Dali à Port Lligat et à New York. Respectons aujourd'hui cette discrétion qui, d'ordinaire, lui ressemble si peu.

1962

NOVEMBRE

Les seize attributs de Raimondo Lullio se prêtent à 20 922 789 888 000 combinaisons. Je me réveille en me proposant d'atteindre ce nombre de combinaisons à l'intérieur de ma sphère transparente dans laquelle j'effectue depuis quatre jours les premières expériences (les premières à ma connaissance) sur le « vol des mouches ». Mais les domestiques de la maison sont en émoi : la mer est démontée. On dit que c'est la plus grande tempête depuis trente ans. L'électricité est coupée. On se croirait en pleine nuit et nous devons allumer des bougies. La barque jaune de Gala a rompu ses amarres et dérive au milieu de la baie. Notre marin pleure et tape sur la table avec de grands coups de poing.

— Je ne pourrai pas voir ce bateau s'écraser contre les rochers ! crie-t-il.

J'entends cela de mon atelier où Gala me rejoint pour me demander de descendre afin de consoler le marin que les bonnes croient devenu fou. Mais voilà qu'en descendant je passe par la cuisine où, du premier coup, j'attrape au vol avec une célérité et une habileté d'une hypocrisie inouïe la mouche dont j'avais besoin pour mon expérience. Personne ne s'en est aperçu. A notre marin, je dis :

— Ne te lamente pas ! Nous achèterons un autre bateau. On ne pouvait pas prévoir une telle tempête !

Et avec une coquetterie soudaine, je vais jusqu'à poser sur son épaule ma main fermée contenant la mouche. Tout de suite, il semble se calmer et je remonte dans mon atelier pour enfermer la mouche dans la sphère. Tandis que j'observe le vol de la mouche, j'entends de grands cris sur la plage. J'accours. Dix-sept pêcheurs et les domestiques crient : « Au miracle ! » Au moment où la barque allait s'écraser sur les rochers, le vent avait soudain changé et elle était venue s'échouer comme un animal fidèle et obéissant sur la grève devant notre maison. Avec une adresse surhumaine, un marin lui avait lancé une ancre au bout d'un mince câble et on avait réussi à tirer le bateau à l'abri des vagues qui le drossaient sur les rochers en le prenant de flanc. Il est inutile de préciser qu'en plus du nom de Gala, ma barque porte le nom de « Milagros », c'est-à-dire miracles.

Simultanément, au retour dans l'atelier, je constate que ma mouche à elle seule a fait aussi plusieurs miracles, parmi lesquels le plus extraordinaire était qu'elle avait réalisé les 20 922 789 888 000 combinaisons préconisées par Raimondo Lullio et que j'avais tant désirées à mon réveil.

Il manquait exactement huit minutes pour qu'il fût midi.

La vie doit être épaisse de ce genre de densités mélange de hasards et d'adresses délirantes ! Ce qui me fait souvenir de mon père, un matin de juin, rugissant comme un lion :

— Venez, venez ! Tout de suite ! Tout de suite !

Nous sommes tous arrivés très alarmés pour voir mon père le doigt tendu vers une allumette de cire qui se tenait debout et flambait sur les dalles d'ardoise. Après avoir allumé son cigare il avait jeté très haut son allumette et celle-ci, après avoir décrit une grande courbe qui semblait l'avoir éteinte, était retombée verticalement sur le sol pour rester collée, debout sur les ardoises surchauffées qui l'avaient rallumée. Mon père continuait d'appeler les paysans qui s'attroupaient :

— Venez, venez ! Jamais plus vous ne reverrez une chose pareille !

A la fin du repas, encore sous la tension de cet événement qui m'avait bouleversé, j'avais jeté en l'air de toutes mes forces un bouchon qui, après avoir cogné le plafond, avait rebondi sur le haut du buffet, demeurant ensuite en équilibre à l'extrémité d'une tringle de rideau. Mon père était resté accablé par ce second événement. Pendant une longue heure, il avait contemplé le bouchon, défendant qu'on le bougeât de l'endroit où pendant plusieurs semaines, nos domestiques et les amis purent l'admirer.

le 6

Je renverse du café sur ma chemise. La première réaction de ceux qui ne sont pas comme moi des génies, c'est-à-dire les autres, est de s'essuyer. Moi, c'est tout le contraire. Dès mon enfance, j'avais déjà l'habitude d'épier l'instant où les bonnes et mes parents ne pouvaient pas me surprendre pour renverser lestement et furtivement, entre ma chemise et ma peau, le reste le plus gluant de sucre de mon café au lait. Outre la volupté ineffable que me procurait ce liquide dégoulinant jusqu'au nombril, son séchage progressif puis le tissu se collant à la peau m'offraient la possibilité de constatations périodiques persistantes. Tirant lentement, progressivement ou par secousses longtemps attendues avec délices, je provoquais de nouvelles adhésions de la peau et de la chemise, fructueuses en émotions et pensées philosophiques qui duraient toute la journée. Ce plaisir secret de ma précoce intelligence atteignit son paroxysme quand, devenu un adolescent, les poils vinrent s'ajouter au collage du centre de ma poitrine (là même où je localisais la potentialité de ma foi religieuse) et du tissu de la chemise (enveloppe liturgique) une nouvelle complication. En effet, ces quelques poils souillés de sucre unis au tissu étaient, je le sais maintenant, ceux qui maintiennent le contact électronique grâce auquel l'élément visqueux toujours changeant devenait l'élément mou d'une véritable machine cybernétique mystique que ce matin du 6 novembre, je viens d'inventer en me renversant copieusement, par la grâce de Dieu (et d'une façon apparemment involontaire), mon café au lait trop sucré (par mon inconscient) d'une manière délirante. C'est une véritable pâte sucrée qui colle ma chemise la plus fine aux poils de ma poitrine si pleine de ma foi religieuse.

Pour me résumer, il faudrait ajouter qu'étant un génie, il se pourrait très, très bien que de ce simple accident (qui pour beaucoup serait simplement un ennui insignifiant) Dali sache convertir toutes les possibilités en une machine cybernétique molle me permettant d'atteindre ou plutôt de tendre vers la Foi qui, jusqu'à présent, n'était qu'une prérogative unique de l'omnipotente grâce de Dieu.

le 7

De tous les plaisirs hyper-sybaritiques de ma vie, l'un des plus aigus et des plus piquants est peut-être (et même sans peut-être) et sera de rester au soleil couvert de mouches. Ainsi pourrai-je dire :

— Laissez venir à moi les petites mouches !

A Port Lligat, au petit déjeuner, je renverse sur ma tête l'huile qui restait de mon assiettée d'anchois. Aussitôt les mouches accourent. Si je domine la situation de mes pensées, le chatouillement des mouches aide à les accélérer. En revanche, le jour rarissime où leur présence me dérangera, ce sera le signe que quelque chose ne va pas et que les mécanismes cybernétiques de mes trouvailles sont en train de grincer tant je considère les mouches comme des fées de la Méditerranée. Déjà dans l'antiquité, elles avaient l'habitude de recouvrir les visages de mes illustres prédécesseurs, Socrate, Platon ou Homère[1] qui, les yeux fermés, décrivaient comme des animaux sublimes le fameux essaim de mouches tourbillonnant autour d'une jarre de lait. Ici, il faut que je rappelle haut que je n'aime que les mouches propres, les mouches habillées par Balenciaga comme je l'ai déjà dit, pas celles qu'on rencontre chez les bureaucrates ou dans les appartements bourgeois, mais celles qui vivent sur les feuilles d'olivier, celles qui volent autour d'un oursin plus ou moins pourri.

Aujourd'hui, 7 novembre, j'ai lu dans un livre allemand que Phidias avait dessiné le plan d'un temple d'après une variété d'oursins qui présente la structure pentagonale la plus divine qu'il eût jamais vue. Et c'est aujourd'hui 7 novembre, à deux heures de l'après-midi, que, regardant voler cinq mouches autour d'un oursin fermé, j'ai pu observer à chaque fois dans leur espèce de gravitation un mouvement en spirale de droite à gauche. Si cette loi se confirme, je n'ai aucun doute sur son avenir : elle sera, pour le cosmos, d'une importance égale à celle de la fameuse pomme de Newton, car je prétends que cette mouche chassée par tout le monde possède en elle ce quantum d'action que Dieu place continuellement sur le propre nez des hommes pour leur indiquer avec insistance le chemin d'une des lois les plus cachées de l'univers.

le 8

M'étant endormi en pensant que ma vie doit réellement commencer demain ou après-demain — ou le surlendemain —, mais d'une façon imminente (cela en tout cas est

1. En mai 1957, Dali avait déjà parlé longuement des mouches de Port Lligat qu'il préfère à toutes les mouches du monde. Nous donnons en annexe un texte de Lucien de Samosate sur les mouches, dont Dali fait son régal.

sûr et inéluctable), cette pensée me procure un quart d'heure avant le réveil un rêve créateur théâtralisé à son maximum d'effet scénique. En effet, mon heure théâtrale commence par un avant-rideau courant très doré, fortement éclairé et comportant au centre une petite bizarrerie si caractéristique que sa découverte est remarquée par tous les spectateurs d'une façon qui ne s'oublie pas. Quand cet avant-rideau se lève, commencent des visions qui atteignent aussitôt la hauteur des plus grandioses mythologies tempétueuses. Un éclair jupitérien plonge un instant le tout dans les ténèbres. Tout le monde s'attend à un fantastique accroissement d'effets, mais — coup de théâtre — la lumière se fait et éclaire de nouveau l'avant-rideau de la même manière, exactement, qu'au début. Tous les spectateurs sont donc cocus, sauf Dali et Gala qui, elle, avait rêvé pareillement. On croyait assister au début de l'opéra de notre vie, mais pas du tout... L'avant-rideau ne s'était même pas levé. Cet avant-rideau utilisé si adroitement vaut, à lui seul, son pesant d'or [1]

1963

SEPTEMBRE

le 3

Depuis toujours, j'ai l'habitude de regarder les journaux à l'envers. Au lieu de lire les nouvelles, je les regarde et je les vois. Adolescent déjà, je voyais parmi les serpentements typographiques, juste en clignant des yeux, des parties de football représentées comme à la télévision. Souvent même, avant la mi-temps, j'étais obligé de me reposer, tellement les péripéties du jeu m'éreintaient. Aujourd'hui, sur les journaux à l'envers, je vois des choses divines prises d'un tel mouvement, que je décide de faire repeindre — dans un élan de sublime pop' art dalinien — les morceaux de journaux contenant des trésors esthétiques souvent dignes de Phidias. Ces journaux agrandis démesurément, je les ferai quantifier par des chiures de mouches... Cette idée m'est venue après avoir observé la beauté de certains journaux collés, jaunis (et un peu chiés par les mouches) de Pablo Picasso et de Georges Braque.

Ce soir, tandis que j'écris, j'écoute la radio qui retentit des coups de canons justement mérités que l'on tire pour les obsèques de Braque. De Braque célèbre entre autres choses pour sa découverte esthétique des journaux collés. Et je lui dédie en hommage mon plus transcendant, et bien plus instantanément célèbre buste de Socrate quantifié par les mouches, et qui constitue précisément la couverture géniale de ce journal de mon génie.

le 19

C'est toujours à la gare de Perpignan, au moment où Gala fait enregistrer les tableaux qui nous suivent en train, que me viennent les idées les plus géniales de ma vie. Quelques kilomètres avant déjà, au Boulou, mon cerveau commence à se mettre en branle, mais l'arrivée à la gare de Perpignan est l'occasion d'une véritable éjaculation mentale qui atteint alors sa plus grande et sublime hauteur spéculative. Je reste longtemps à cette altitude et vous me verrez toujours les yeux blancs pendant cette éjaculation. Vers Lyon, toutefois, cette tension commence à diminuer, et j'arrive à Paris apaisé par les phantasmes gastronomiques de la route, Pic à Valence et M. Dumaine à Saulieu. Mon cerveau redevient normal quoique toujours génial comme mon lecteur voudra bien s'en souvenir. Eh bien, ce 19 septembre, j'ai eu à la gare de Perpignan une espèce d'extase cosmogonique plus forte que les précédentes. J'ai eu une vision exacte de la constitution de l'univers. L'univers qui est l'une des choses les plus limitées qui existe serait, toutes proportions gardées, semblable par sa structure à la gare de Perpignan, à la seule différence près que là où se trouve le guichet, il y aurait dans l'univers cette sculpture énigmatique dont la reproduction gravée m'intriguait depuis plusieurs jours. La partie vide de la sculpture se trouverait quantifiée par neuf mouches originaires de Boulou, et une seule mouche à vin qui serait l'anti-matière. Lecteur, regarde mon illustration, et souviens-toi que toutes les cosmogonies naissent ainsi.

Bonjour !

Annexes

Extrait de
L'ART DE PÉTER
ou
MANUEL DE L'ARTILLEUR SOURNOIS
par
le COMTE DE LA TROMPETTE
Médecin du Cheval de Bronze
Pour l'usage des personnes constipées[1]

PRÉLUDE

Il est honteux, Lecteur, que depuis le temps que vous pétez, vous ne sachiez pas encore comme vous le faites, et comment vous devez le faire.

On s'imagine communément que les pets ne diffèrent que du petit au grand, et qu'au fond, ils sont tous de la même espèce : erreur grossière.

Cette matière que je vous offre aujourd'hui, analysée avec toute l'exactitude possible, avait été extrêmement négligée jusqu'à présent, non pas qu'on la jugeait indigne d'être maniée, mais parce qu'on ne l'estimait pas susceptible d'une certaine méthode et de nouvelles découvertes. On se trompait.

1. Le livre sans date semble avoir paru au XIXᵉ siècle. L'éditeur n'en a pas tiré gloriole, car il se cache sous un pseudonyme : « Grosse TONNETTE, la belle Timbalière » et se domicilie à Montcuq (Guyenne).

Péter est un art, et par conséquent, une chose utile à la vie, comme disent Lucien, Hermogène, Quintilien, etc. Il est en effet plus essentiel qu'on ne pense ordinairement de savoir péter à propos.

> Un pet qui, pour sortir, a fait un vain effort,
> Dans les flancs déchirés reportant sa furie,
> > Souvent cause la mort.
> D'un mortel constipé qui touche au sombre bord,
> Un PET à temps lâché, pourrait sauver la vie.

Enfin on peut péter avec règle et avec goût, comme je vous le ferai sentir dans toute la suite de cet ouvrage.

Je ne balance donc pas à faire part au Public de mes recherches et de mes découvertes, sur un Art dont on ne trouve rien de satisfaisant dans les plus amples dictionnaires : et en effet, il n'y est pas question (chose incroyable), de la nomenclature même de cet Art, dont je présente aujourd'hui les principes aux curieux.

Chapitre premier

DÉFINITION DU PET EN GÉNÉRAL

Le Pet que les Grecs nomment Pordé ; les Latins Crepitus ventris ; l'ancien Saxon, Partin ou Furtin ; le haut Allemand, Fartzen et l'Anglais, Fart, est un composé de vents qui sortent tantôt avec bruit, et tantôt sourdement et sans en faire.

Il y a néanmoins des auteurs assez bornés et même assez téméraires pour soutenir avec absurdité, arrogance et opiniâtreté, malgré Calepin et tous les autres dictionnaires faits ou à faire, que le mot pet, proprement pris, c'est-à-dire dans son sens naturel, ne doit s'entendre que

de celui qu'on lâche avec bruit ; et ils se fondent sur ce vers
d'Horace qui ne suffit point pour donner l'idée complète
du pet :

> *Nam displosa sonat quantum Vesica pepedi.* SAT. 8.

J'ai pété avec autant de tintamarre, qu'en pourrait faire
une vessie bien soufflée.

Mais qui ne sent pas qu'Horace dans ce vers, a pris le
mot pedere, péter, dans un sens générique ? et qu'était-il
besoin, pour faire entendre que le mot pedere signifie un
son clair, qu'il se restreignît à expliquer l'espèce du pet qui
éclate en sortant ? Saint-Évremond, cet agréable philosophe, avait une idée du pet bien différente de celle qu'en a
prise le vulgaire : selon lui, c'était un soupir ; et il disait un
jour à sa maîtresse devant laquelle il avait fait un pet :

> Mon cœur, outré de déplaisirs,
> Était si gros de ses soupirs,
> Voyant votre humeur si farouche,
> Que l'un d'eux se voyant réduit
> A n'oser sortir par la bouche,
> Sortit par un autre conduit.

Le pet est donc, en général, un vent renfermé dans le
bas-ventre, causé, comme les médecins le prétendent, par
le débordement d'une pituite attiédie, qu'une chaleur
faible a atténuée et détachée sans la dissoudre ; ou produite, selon les paysans et le vulgaire, par l'usage de quelques ingrédients venteux ou d'aliments de même nature.
On peut encore le définir, un air comprimé, qui, cherchant
à s'échapper, parcourt les parties internes du corps, et sort
enfin avec précipitation quand il trouve une issue que la
bienséance empêche de nommer.

Mais nous ne cachons rien ici ; cet être se manifeste par
l'anus, soit par un éclat, soit sans éclat : tantôt la nature le
chasse sans effort, et tantôt l'on invoque le secours de l'art,

qui, à l'aide de cette même nature, lui procure une naissance aisée, cause de la délectation, souvent même de la volupté. C'est ce qui a donné lieu au proverbe, que

> Pour vivre sain et longuement,
> Il faut donner à son cul vent.

Mais revenons à notre définition, et prouvons qu'elle est conforme aux règles les plus saines de la philosophie, parce qu'elle renferme le genre, la matière et la différence, *quia nempe constat genere, materia et differentia :* 1° Elle renferme toutes les causes et toutes les espèces ; nous le verrons par ordre ; 2° Comme elle est constante par le genre, il n'y a point de doute qu'elle ne le soit aussi par sa cause éloignée, qui est celle qui engendre les vents, savoir la pituite, et les aliments mal atténués. Discutons ceci avec fondement, avant de fourrer le nez dans les espèces.

Nous disons donc que la matière du pet est attiédie et légèrement atténuée.

Car de même qu'il ne plut jamais dans les pays les plus chauds, ni dans les plus froids, la trop grande chaleur absorbant dans ses premiers climats, toutes sortes de fumées et de vapeurs, et l'excessive gelée empêchant dans les autres l'exhalation des fumées ; comme au contraire il pleut dans les régions moyennes et tempérées (comme l'ont très bien observé Bodin, meth. hist., Scaliger et Cardan) : de même aussi lorsque la chaleur est excessive, non seulement elle broie et atténue les aliments, mais elle dissout et consume toutes les vapeurs, ce que le froid ne saurait faire ; et c'est ce qui l'empêche de produire la moindre fumée. Le contraire arrive lorsque la chaleur est douce et tempérée. Sa faiblesse l'empêche de cuire parfaitement les aliments ; et ne les atténuant que légèrement, la pituite du ventricule et des intestins peut exciter beaucoup de vents qui deviennent plus énergiques en proportion de la ventosité des aliments, lesquels mis en fermentation par la chaleur médiocre, procurent des fumées fort épaisses et tourbillonnantes. On sent cela nettement par la comparaison du printemps et de l'automne, avec l'été et l'hiver, et par l'art de la distillation au feu médiocre.

Chapitre II

DES DIFFÉRENCES DU PET, NOTAMMENT DU PET ET DU ROT, ET DÉMONSTRATION TOTALE DE LA DÉFINITION DU PET

Nous avons dit plus haut que le pet sort par l'anus. C'est en quoi il diffère du rot, ou rapport espagnol. Celui-ci, quoique formé de la même matière, mais dans l'estomac, s'échappe par en haut, à cause du voisinage de l'issue, ou de la dureté et réplétion du ventre ou de quelques autres obstacles qui ne lui permettent pas de prendre les voies inférieures. Selon nos formalités, le rot va de pair avec le pet, quoique selon quelques-uns, il soit plus odieux que le pet même : mais n'a-t-on point vu, à la Cour de Louis-le-Grand, un ambassadeur, au milieu de la splendeur et de la magnificence qu'étalait à ses yeux étonnés cet auguste monarque, lâcher un rot des plus mâles, et assurer que, dans son pays, le rot faisait partie de la noble gravité qui y régnait ? On ne doit pas conclure plus défavorablement contre l'un que contre l'autre ; et que le vent sorte par en haut ou par en bas, il y a parité et il ne doit rester aucun scrupule là-dessus. En effet, nous lisons dans Furetière, tome II de son *Dictionnaire universel*, que, dans le comté de Suffolck, un vassal devait faire devant le roi, tous les jours de Noël, un saut, un rot et un pet.

Mais il ne faut pas mettre le rot dans la classe des vents coliquatifs, ni dans celle du murmure et du gazouillement du ventre qui sont aussi des vents du même genre, et qui grondant dans les intestins, tardent à se manifester, et sont comme le prologue d'une comédie, ou les avant-coureurs d'une tempête prochaine. Les filles et les femmes qui se serrent étroitement pour se dégager la taille, y sont particulièrement sujettes. Dans elles, selon Fernel, l'intestin que les médecins appellent *Cœcum*, est si flatueux et si distendu, que les vents qu'il contient ne font pas un moindre combat dans la capacité du ventre, que n'en faisaient autrefois ceux qu'Éole retenait dans les cavernes de ses montagnes d'Éolie : en sorte qu'on pourrait, à leur faveur, entreprendre un voyage de long cours sur mer, ou au moins en faire tourner les moulins à vent.

Il ne nous reste plus ici pour la preuve complète de notre définition, qu'à parler de la cause finale du pet, qui, tantôt est la santé du corps désirée par la nature, et tantôt une délectation ou un plaisir procuré par l'art : mais nous remettons à en traiter avec les effets. Voyez le chapitre qui en parle. Cependant nous observons que nous n'admettons point, et que nous désavouons toute fin contraire au bon goût et à la santé, de pareils abus ne pouvant trouver place poliment et honnêtement au nombre des fins raisonnables et délectantes.

Chapitre III

DIVISION DU PET

Après avoir expliqué la nature et la cause du pet, il nous reste à procéder à sa juste division, et à examiner ses espèces différentes, pour les définir ensuite relativement à leurs affections.

PROBLÈME

Il s'élève ici naturellement une question : la voici.

Comment faire, dira-t-on, la juste division d'un pet ? C'est un incrédule qui parle. Faut-il le mesurer à l'aune, au pied, à la pinte, au boisseau ? *Car quae sunt eadem uni tertio, sunt eadem inter se.* Non : et voici la solution qu'en a donnée un excellent chimiste ; rien même de plus facile et de plus naturel.

Enfoncez, dit-il, votre nez dans l'anus ; la cloison du nez divisant l'anus également, vos narines formeront les bassins de la balance dont votre nez servira alors. Si vous sentez de la pesanteur en mesurant le pet qui sortira, ce sera un signe qu'il faudra le prendre au poids ; s'il est dur, à l'aune ou au pied ; s'il est liquide, à la pinte ; s'il est grumuleux, au boisseau, etc., mais si vous le trouvez trop petit pour faire l'expérience, faites comme les gentils-hommes verriers ; soufflez au moule tant qu'il vous plaira, je veux dire, jusqu'à ce qu'il ait acquis un volume raisonnable.

Mais parlons sérieusement.

Les Grimauds de grammaire divisent les lettres en voyelles et en consonnes ; ces messieurs effleurent ordinairement la matière : mais nous qui faisons profession de la faire sentir et goûter telle qu'elle est, nous divisons les pets en Vocaux, et en Muets, ou Vesses proprement dites.

Les Pets en vocaux sont naturellement appelés Pétards, du mot péter, relativement aux espèces différentes des sons qu'ils produisent, comme si le bas-ventre était rempli de pétards. Consultez là-dessus Willichius Jodochus dans ses thèses du Pétard.

Or, le Pétard est un éclat bruyant, engendré par des vapeurs sèches.

Il est grand ou petit, selon la variété de ses causes ou de ses circonstances.

Le grand pétard est pléni-vocal, ou vocal, par excellence ; et le petit s'appelle semi-vocal.

DU PLÉNI-VOCAL OU GRAND PET

Le grand Pet pétard, ou pléni-vocal-plein, se manifeste avec grand bruit, non seulement en raison du calibre ample et spacieux qui le produit, comme celui des paysans ; mais encore à cause de la grande multitude de vents causés par la déglutition d'une quantité considérable d'aliments flatueux, ou par la médiocrité de la chaleur naturelle du ventricule et des intestins. On peut comparer ce phénix des pets, à l'explosion des canons, des grosses vessies, et du vent des Pédales, etc. La démonstration des tonnerres par Aristophanes, n'en donnerait qu'une très faible idée ; elle n'est point palpable comme celle des canons, et comme une décharge faite pour renverser des murs, ou pour ouvrir un bataillon, ou pour saluer un seigneur qui arrive dans une ville, etc.

OBJECTION DES ADVERSAIRES DU PET

Ce n'est point par le son que le pet nous choque, disent-ils : s'il n'avait que des Impromptus harmonieux, loin de nous offenser il saurait nous plaire ; mais il est toujours suivi d'une odeur disgracieuse qui compose son essence, ce qui afflige notre odorat : voilà en quoi il est coupable. Il ne s'est pas plus tôt fait entendre, qu'il disperse des corpuscules infects qui troublent la sérénité de nos visages : quelquefois même assez traître pour nous porter des coups qu'il ne nous a pas laissé prévoir, il vient nous attaquer à la sourdine ; assez souvent précédé d'un bruit sourd, il se fait suivre de plus honteux satellites, et ne laisse jamais aucun doute sur sa mauvaise compagnie.

RÉPONSE

C'est bien mal connaître le pet, que de le croire si criminel et coupable de tant de grossièretés. Le vrai pet, ou le pet clair, n'a point d'odeur, ou du moins si peu, qu'elle n'a pas assez de force pour traverser l'espace qui se trouve entre son embouchure et le nez des assistants. Le mot latin

Crepitus, qui exprime le pet, ne signifie qu'un bruit sans odeur ; mais on le confond ordinairement avec deux autres ventosités malfaisantes, dont l'une attriste l'odorat, et se nomme vulgairement vesse, ou, si l'on veut, pet muet, ou pet féminin, et l'autre qui présente le plus hideux spectacle, que l'on nomme pet épais ou pet de maçon. Voilà le faux principe sur lequel se fondent les ennemis du pet ; mais il est aisé de les confondre, en leur montrant que le vrai pet est réellement distingué des deux monstres dont on vient de donner une notion générale.

Tout air qui s'entonne dans le corps, et qui après y avoir été comprimé, s'en échappe, se nomme ventosité ; et par là le pet clair, la vesse et le pet de maçon, conviennent entr'eux comme dans leur genre : mais le plus ou le moins de séjour qu'ils font dans le corps, le plus ou le moins d'aisance qu'ils trouvent à s'échapper constituent leur différence, et les rendent totalement dissemblables. Le pet clair, après s'être entonné dans le corps, parcourt sans obstacles les différentes parties internes qui se trouvent sur son passage, et sort avec plus ou moins de fracas. Le pet épais ou de maçon, après avoir tenté plusieurs fois de s'échapper, trouvant les mêmes obstacles, rebrousse chemin, parcourt souvent le même espace, s'échauffe, et se charge de différentes parties de matière grasse qu'il détache en chemin : ainsi affaissé par son propre poids, il vient se réfugier dans la basse région ; et se trouvant enveloppé d'une matière trop fluide, qui n'attendait elle-même que le moindre mouvement pour faire irruption ; il décampe enfin sans beaucoup de bruit et entraîne avec lui tout le butin dont il s'est chargé. La vesse, également gênée et retenue au passage, fait le même voyage que le pet de maçon : elle s'échauffe également, se charge en chemin de parties grasses, vient solliciter sa sortie par les pays bas, avec cette différence, que trouvant un terrain sec et aride, elle n'acquiert point de nouveaux biens ; mais chargée seulement de ce qu'elle a butiné en chemin, elle déloge sans aucun bruit et fait part en sortant, de ce qu'elle a de plus disgracieux pour l'odorat.

Mais après avoir répondu aux objections des adversaires du pet, reprenons notre division.

Or, ces pets ressemblent aux canons, etc., ou aux tonnerres d'Aristophanes, comme on voudra. Quoi qu'il en soit, ils sont simples ou composés.

Les pets simples consistent dans un grand coup, seul et momentané. Priape les compare, comme nous l'avons déjà vu, à des outres crevées.

Displosa sonat quantum vesica.

Ils se font, lorsque la matière est composée de parties homogènes, lorsqu'elle est abondante, lorsque la fissure par où elle sort est assez large ou assez distendue, ou enfin lorsque le sujet qui les pousse et robuste et ne fait qu'un seul effort.

Les pets composés partent par plusieurs coups, et éclat par éclat : semblables à des vents continuels qui se succèdent les uns aux autres, à peu près comme quinze ou vingt coups de fusils tirés de suite, et comme circulairement. On les nomme Diphtongues, et l'on soutient qu'une personne d'une forte constitution en pourrait faire une vingtaine tout d'une tire.

Chapitre V

RAISON PHYSIQUE TIRÉE DU BON SENS
OU ANALYSE DU PET DIPHTONGUE

Le pet est diphtongue lorsque l'orifice est bien large, que la matière est copieuse, les parties inégales, mêlées à la fois d'humeurs chaudes et tenues, froides et épaisses ; ou lorsque la matière ayant un foyer varié, est obligée de refluer dans différentes parties des intestins.

Alors elle ne peut être resoute d'une seule fonte, ni se contenir dans les mêmes cellules intestinales, ni être chassée d'un seul effort. Elle est donc obligée de s'échapper avec éloquence à intervalles variés et inégaux, jusqu'à ce qu'il n'en reste plus, c'est-à-dire, jusqu'au dernier souffle. Et voilà pourquoi le son se fait entendre à mesures inégales, et pourquoi, pour peu qu'on fasse d'efforts, on entend une canonnade plus ou moins nombreuse, où l'on croit que s'articulent des syllabes diphtonguées, telles que celles-ci, pa pa pax, pa pa pa pax, pa pa pa pa pax, etc. Aristoph. in nubib. parce qu'alors l'anus ne se referme pas exactement, et que la matière est victorieuse de la nature.

Rien de plus joli que le mécanisme des pets diphtongues, et c'est à l'anus auquel on en a l'obligation.

D'abord :

1° Il faut le supposer assez ample par lui-même, et entouré d'un sphincter fort et élastique.

2° Il faut une suffisante quantité de matière égale pour produire d'abord un pet simple.

3° Après le premier coup, que l'anus se referme malgré lui, mais non pas cependant si exactement, que la matière qui doit être plus forte que la nature, ne puisse point l'obliger de s'écarter, et lui susciter de l'orgasme (de l'irritation).

4° Qu'il se referme un peu, et se rouvre ensuite, toujours alternativement ; et combat ainsi avec la nature qui tend toujours à expulser la matière et à la dissoudre.

5° Enfin, qu'il retienne, si le cas l'exige, le reste des vents pour les rendre dans un temps plus commode. On peut appliquer ici l'épigramme de Martial, liv. XII, où il dit *et pedit deciesque viciesque*, etc. Mais nous en parlerons ailleurs.

C'est sans doute, de ces pets diphtongues dont Horace fait l'histoire, à l'occasion de Priape. Il raconte qu'un jour, ce dieu incivil en lâcha un terrible, qui effaroucha une troupe de sorcières occupées à des enchantements dans son voisinage. En effet, si ce pet n'eût été que simple, vraisemblablement les sorcières n'eussent point été effrayées, et n'eussent point abandonné leurs travaux magiques ni leurs serpents, pour se réfugier à toutes jambes dans la ville ; mais il est probable que Priape commença par un pet simple avec éclat, tel que celui d'une vessie bien tendue ; mais que ce bruit fut aussitôt suivi d'un pet diphtongue, et celui-ci d'un autre encore plus fort qui épouvantèrent les magiciennes déjà effrayées, et les contraignirent de prendre effectivement la fuite. Horace ne s'explique point là-dessus ; mais il est visible qu'il n'en a voulu rien dire dans la crainte d'être diffus, et qu'il ne s'est tu que parce qu'il savait que chacun en était informé. Cette petite remarque nous a paru nécessaire, et convenir à l'explication de ce passage qui ne peut paraître obscur et difficile qu'à ceux qui ne savent point de physique : nous n'en dirons pas davantage.

Chapitre V

MALHEURS ET ACCIDENTS CAUSÉS PAR LES PETS DIPHTONGUES. HISTOIRE D'UN PET QUI FIT FUIR LE DIABLE, ET LE RENDIT BIEN SOT. MAISONS DÉLIVRÉES DES DIABLES PAR LA MÉDIATION DES PETS DIPHTONGUES, RAISONS ET AXIOMES

Si le pet diphtongue est plus terrible que le tonnerre, et s'il est constant que la foudre qui le suit a écrasé une infinité de personnes, a rendu sourds les uns, et hébétés les autres, il est donc hors de doute qu'un pet diphtongue, s'il ne foudroie pas, est capable non seulement de causer tous les accidents du tonnerre, mais encore de tuer sur-le-champ les gens faibles, d'un génie pusillanime et suscep- tibles de préjugés. Nous portons ce jugement en raison des ingrédients dont il est formé, et de l'extrême compression de l'air, qui, devenu libre, ébranle tellement en sortant les colonnes de l'air extérieur, qu'il peut détruire, déchirer et arracher en un clin-d'œil des fibres les plus délicates du cerveau, donner ensuite un mouvement de rotation rapide à la tête, la faire tourner sur les épaules comme une girouette, briser à la septième vertèbre l'étui de la moelle allongée, et par cette destruction, donner la mort.

Toutes ces causes sont produites par l'usage des raves, des aulx, des pois, des fèves, des navets, et en général par tous les autres aliments venteux dont on connaît les vertus maléficientes, et qui forment le son clair, successif et court par intervalles que l'on entend lors de l'éruption du pet. Hélas ! Combien de poulets tués dans les œufs, combien de foetus avortés ou étouffés dans le sein de leurs mères par la force de l'explosion ! Le diable même en a pris la fuite plus d'une fois. Entre plusieurs histoires qu'on lit à ce sujet, je vais en rapporter une dont la vérité est constante.

Le diable tourmentait depuis longtemps un homme pour qu'il se donnât à lui. Cet homme ne pouvant plus résister aux persécutions du malin esprit, y consentit sous trois conditions qu'il lui proposa sur-le-champ.

1° Il lui demanda une grande quantité d'or et d'argent, il la reçut dans l'instant.

2° Il exigea qu'il le rendît invisible ; le diable lui en enseigna les moyens, et lui en fit faire l'expérience sans l'abandonner. Enfin cet homme était fort embarrassé sur ce qu'il lui proposerait en troisième lieu, qui pût mettre le diable dans l'impossibilité de le satisfaire, et comme son génie ne lui fournissait point à l'instant l'expédient qu'il en attendait, il fut saisi d'une peur dont l'excès le servit par hasard fort heureusement, et le sauva de la griffe. On rapporte que dans ce moment critique, il lui échappa un pet diphtongue, dont le tapage ressemblait à celui d'une décharge de mousqueterie. Alors saisissant avec présence d'esprit cette occasion, il dit au diable :

— Je veux que tu m'enfiles tous ces pets, et je suis à toi.

Le diable essaya l'enfilement ; mais quoiqu'il présentât d'un côté le trou de l'aiguille, et qu'il tirât de l'autre à belles dents, il ne put jamais en venir à bout. D'ailleurs épouvanté par l'horrible tintamarre de ce pet, que les échos d'alentour avait rédupliqué ; et confus, forcené même, de se voir pris pour dupe, il s'enfuit en lâchant une vesse infernale qui infecta tous les environs, et délivra de la sorte ce malheureux du danger imminent qu'il avait couru.

Il n'est pas moins constant par tout l'univers, dans tous les royaumes, les républiques, les villes, les villages, les hameaux ; dans toutes les familles et les châteaux de campagne où il y a des bonnes, des vieilles et des bergers, dans les livres et les histoires anciennes, qu'il s'est trouvé une infinité de maisons délivrées des diables par le secours des pets, sans doute des pets diphtongues. En effet, c'est le plus grand spécifique que nous connaissions pour bannir le diable ; et l'Art de péter que nous présentons aujourd'hui en nous faisant des amis, nous attirera certainement la bénédiction des peuples qui en sont tourmentés. Nous sommes persuadés qu'il faut tromper l'art par l'art, la fourbe par la fourbe ; qu'un clou pousse l'autre ; qu'une grande lumière en efface une petite ; et que les sons, les odeurs, etc., en absorbent d'autres moins fortes ; partant l'ange des ténèbres sera offusqué par le flambeau que nous mettons dans la main des malheureux qu'il séduira, et quiconque le tiendra n'aura plus rien à craindre.

Le pet diphtongue est un petit tonnerre de poche, que l'on trouve au besoin ; sa vertu et sa salubrité sont actives et rétroactives ; il est d'un prix infini, et a été reconnu pour tel dans l'antiquité la plus reculée ; de là le proverbe romain, qu'un gros pet vaut un talent.

Ordinairement le pet diphtongue n'a pas de mauvaise

odeur, à moins qu'il ne soit engendré de quelque putréfaction dans les intestins, ou qu'il n'ait séjourné et couvé trop
longtemps dedans ou dessous un être mort qui commençait à se pourrir, ou à moins que les aliments que l'on a
pris n'aient été corrompus eux-mêmes. Pour en faire le
discernement, j'en appelle à l'odorat le plus fin, le mien n'y
réussirait pas, et le lecteur n'est peut-être point enrhumé
du cerveau comme moi.

Chapitre VI

DU SEMI-VOCAL OU PETIT PET

Le petit pet, ou le semi-vocal, est celui qui sort avec
moins de fracas que le grand, soit à cause de l'embouchure, ou de l'issue trop étroite du canal par où il
s'exprime (comme sont ceux des demoiselles) ; soit à cause
de la petite quantité de vents qui se trouvent renfermés
dans les intestins.
Ce pet se divise en clair, moyen et aspiré.

DU PET CLAIR

Ce pet est un semi-vocal, ou petit pet, composé d'une
matière très sèche et très déliée, qui se portant avec douceur le long du canal de sortie, qui est fort étroit, souffle-
rait à peine une paille. On l'appelle vulgairement pet de
demoiselle ; il n'alarme point les nez sensuels, et n'est
point indécent comme la vesse et le pet de maçon.

DU PET ASPIRÉ

Le pet aspiré, est un petit pet semi-vocal, composé d'une
matière humide et obscure. Pour en donner l'idée et le
goût, je ne saurais mieux le comparer qu'à un pet d'oie ; et

peu importe que le calibre qui le produit, soit large ou étroit ; il est si chétif, qu'on sent bien qu'il n'est qu'un avorton. C'est le pet ordinaire des Boulangères.

DU PET MOYEN

Ce dernier tient en quelque sorte un juste milieu entre le pet clair et le pet aspiré ; parce que la matière homogène dont il est composé, étant de quantité et de qualité médiocre, et se trouvant bien digérée, elle sort d'elle-même sans le moindre effort par l'orifice, qui pour lors, n'est ni trop serré ni trop ouvert. C'est le pet de ceux qui s'ennuient du célibat, et des femmes de Bourgmestres.

CAUSES DES PETS PRÉCÉDENTS

Il y a trois causes principales de la variété des sons dans ces trois genres de pets comme dans tous les autres ; savoir la matière du vent, la nature du canal et la force du sujet.

1° Plus la matière du vent est sèche, plus le son du pet est clair ; plus elle est humide, plus il est obscur, plus elle est égale et de même nature, plus il est simple, et plus elle est hétérogène, plus le pet est multisonore.

2° Par rapport à la nature du canal, plus il sera étroit, plus le son sera aigu ; plus il sera large, plus le son aura de gravité. La preuve résulte de la délicatesse ou de la grosseur des intestins, dont l'inanition ou la plénitude fait beaucoup au son ; car on sait que ce qui est vide, est plus sonore que ce qui est plein.

Enfin la troisième cause de la différence du son, consiste dans la vigueur et dans les forces du sujet ; car plus la nature pousse fortement et vigoureusement, plus le bruit du pet est grand, et plus ce dernier est étoffé.

Il est donc clair que c'est de la différence des causes que naît celle des sons. On le prouve facilement par l'exemple des flûtes, des trompettes et des flageolets. Une flûte à parois épaisses et larges, donne un son obscur ; une flûte mince et étroite, en rend un clair ; et enfin une flûte dont les parois tiennent le milieu entre l'épais et le mince, rend un son mitoyen. La constitution de l'agent est encore une cause qui prouve cette assertion. Que quelqu'un, par exemple, qui a le vent bon, embouche une trompette, il en tirera infailliblement des sons très forts ; et le contraire arrivera, s'il a l'haleine faible et courte. Disons donc que les instruments à vent sont bien inventés et bien utiles pour l'appréciation des pets ; que par eux on tire des conjonctures très certaines, s'il y en a, de la différence des sons des pets. Ô admirables flûtes, tendres flageolets, graves cors de chasse ! etc., vous êtes bien faits pour être cités dans l'art de péter quand on vous embouche mal ; et vous savez rendre une raison juste d'un ton perçant ou grave, quand une bouche habile vous fait résonner : soufflez donc habilement, Musiciens.

Chapitre VII

QUESTION MUSICALE. DUO SINGULIER.
BELLE INVENTION POUR FAIRE ENTENDRE
UN CONCERT À UN SOURD

Un savant allemand a proposé ici une question fort difficile à résoudre ; savoir s'il peut y avoir de la musique dans les pets ?

Distinguo ; il y a de la musique dans les pets diphtongues, concedo ; dans les autres pets, nego.

La musique qui résulte des pets diphtongues, n'est pas

de celle qui s'exprime par la voix, ou par l'impulsion de quelque chose de sonore, comme d'un violon, d'une guitare, d'un clavecin, etc. Elle ne dépend que du mécanisme du sphincter de l'anus, qui se resserrant ou s'élargissant plus ou moins, forme des sons tantôt graves tantôt aigus : mais la musique en question est du genre de celle qui s'opère par le souffle ; et, comme nous l'avons dit plus haut, elle est analogue aux sons de la flûte, de la trompette, des flageolets, etc. Or, les pets diphtongues sont les seuls capables de faire de la musique, relativement à leur nature, comme on peut le voir, chapitre III, de la division du pet ; donc il peut y avoir de la musique dans les pets. L'exemple suivant éclaircira encore mieux la question.

Deux petits garçons, mes compagnons d'école, avaient chacun un talent dont ils s'amusaient souvent et moi aussi : l'un rotait tant qu'il voulait sur différents tons, et l'autre pétait de même. Le dernier pour y mettre plus d'élégance et de raffinement, se servait d'un petit clayon à égoutter des fromages, sur lequel il ajustait une feuille de papier ; puis s'asseyant dessus, à nu, et tortillant les fesses, il rendait des sons organiques et flûtés de toute espèce. J'avoue que la musique n'en était pas bien harmonieuse, ni les modulations fort savantes ; qu'il serait même difficile d'imaginer des règles de chant pour un pareil concert, et de faire aller ensemble comme il faut les bas et les hauts dessus, les tailles et basses tailles, les hautes et basses contres : mais j'ose avancer qu'un habile maître de musique en pourrait tirer un système original digne d'être transmis à la postérité, et inscrit dans l'art de la composition : c'est une diatonique distribuée à la pythagoricienne, dont on trouvera les chromatiques en serrant les dents. On y réussirait certainement, en ne s'écartant point des principes et des notions que nous avons donnés précédemment. Le tempérament et le régime des personnes serviront dans cette opération de flambeau et de boussole. Veut-on obtenir des sons aigus ? adressez-vous à un corps rempli de fumées subtiles et à un anus étroit. Voulez-vous des sons deux fois plus graves ? faites jouer un ventre plein de fumées épaisses, et un canal large.

Le sac à vents humides n'en produira que d'obscurs. En un mot, le bas-ventre est un orgue polyphtongue qui rend plusieurs sons, d'où l'on peut, sans se gêner beaucoup, tirer, comme d'un magasin, au moins douze tropes ou modes de sons, dont on choisira seulement ceux qui sont consacrés aux agréments, tels que le Lyxoleidien, l'Hypolyxoleidien, le Dorique et l'Hypodorique : car en les employant tous indistinctement, et en affectant les semivocaux, on diminuerait les sons au point qu'on ne les entendrait pas ; ou bien on ferait à l'unisson, plusieurs sons aigus ou graves qui rendraient la musique insipide et désagréable, ce qu'on ne tolérerait tout au plus que dans un charivari ou un grand chœur. Un axiome de philosophie mettra en garde contre cet inconvénient ce qui est trop sensible détruit le sentiment : *a sensibili in supremo gradu destruitur sensibile.* On ne fera donc rien que de modéré, et l'on sera sûr de plaire ; autrement on épouvanterait ; en imitant les sons bruyants des cataractes de Schaffouse, des montagnes d'Espagne, des sauts du Niagara ou de Montmorency dans le Canada, qui rendent les hommes sourds et font avorter les femelles avant qu'elles soient grosses.

Cependant le son ne doit pas être si faible, qu'il fatigue l'auditeur en lui faisant faire de trop grands efforts, et l'obligeant d'apporter toute son attention pour l'entendre. En tout, il y a un milieu à garder.

> *Est modus in rebus, sunt certi denique fines*
> *Quos ultra citraque nequit consistere rectum.*

En gardant soigneusement ce conseil d'Horace, on fera toujours bien, et l'on sera applaudi.

Mais avant que de finir ce chapitre, je ne saurais me dispenser en bon citoyen, qui cherche à dédommager, autant qu'il est en lui, des torts de la nature, ceux de ses amis envers lesquels elle a usé de rigueur ; je ne saurais, dis-je, me dispenser de communiquer un moyen par lequel on pourra faire participer un sourd à cette musique.

Qu'il prenne une pipe à fumer, qu'il en applique la tête à l'anus d'un concertant, qu'il tienne l'extrémité du tuyau entre les dents ; par le bénéfice de contingence, il saisira tous les intervalles des sons dans toute leur étendue et leur douceur. Nous en avons plusieurs exemples dans Cardan et Baptiste l'orta de Naples. Et si quelqu'autre personne qu'un sourd, de quelque qualité et condition qu'il soit, veut avoir ce plaisir au goût, il pourra, comme le sourd, tirer fortement son vent ; alors il recevra toutes les sensations et toute la volupté qu'il pourrait prétendre.

Chapitre VIII

DES PETS MUETS, MALPROPREMENT DITS VESSES
DIAGNOSTIC ET PROGNOSTIC

Cessons d'articuler, et faisons-nous comprendre maintenant sans parler.

Les pets muets, vulgairement appelés vesses, n'ont point de son, et se forment d'une petite quantité de vents très-humides.

On les appelle en latin Visia, du verbe visire ; en allemand, Feisten, et en anglais, Fitch ou Vetch.

Les vesses sont ou sèches ou foireuses. Les sèches sortent sans bruit, et n'entraînent point avec elles de matières épaisses.

Les foireuses, au contraire, sont composées d'un vent taciturne et obscur. Elles emportent toujours avec elles un peu de matière liquide ; les vesses ont la vélocité d'une flèche ou de la foudre, et sont insupportables à la Société par l'odeur fétide qu'elles rendent : si l'on regarde dans sa chemise, on verra le corps du délit qu'elles y impriment ordinairement. C'est une règle établie par Jean Despautere, qu'une liquide jointe à une muette dans la même syllabe, fait brève la voyelle douteuse ; ce qui signifie que l'effet de la vesse foireuse est très prompt. *Cum muta liquidam jungens in syllaba eadem, ancipitem pones vocalem quae brevis esto.* J'ai lu quelque part qu'un diable du pays latin voulant un jour lâcher un pet, ne fit qu'une vesse foireuse, dont il embrena ses culottes ; et que maudissant la trahison de son derrière, il s'écria avec colère et indignation : *Nusquam tuta fides* ; il n'y a donc plus de bonne foi dans le monde ? Ceux-là font donc très bien, qui craignant ces sortes de vesses, ont soin de mettre bas leurs culottes, et de lever leur chemise avant de les lâcher : je les appelle gens sages, prudents et prévoyants.

DIAGNOSTIC ET PROGNOSTIC

Comme les vesses foireuses sortent sans bruit, c'est un signe qu'il n'y a pas beaucoup de vents. L'excrément liquide qu'elles entraînent, donne lieu de croire qu'il n'y a rien à appréhender pour la santé et qu'elles sont salutaires. D'ailleurs, elles indiquent la maturité de la matière, et qu'il est temps de soulager ses reins et son ventre, suivant cet axiome : *Maturum stercus est importabile pondus.*

C'est un lourd fardeau que l'envie démesurée d'aller à la selle, envie qu'il faut satisfaire au plus vite ; sans quoi on ferait la besogne de ce diable du pays latin. (Voyez plus haut.)

Chapitre IX

DES PETS ET DES VESSES AFFECTÉS
ET INVOLONTAIRES

On donne aux uns et aux autres une même cause efficiente, relativement à la matière des vents qui sont engendrés par l'usage des oignons, des aulx, des raves, des navets, des choux, des ragoûts, des pois, des fèves, des lentilles, des haricots, etc. Ils sont affectés ou involontaires et ils se rapportent tous aux espèces précédentes.

Le pet affecté ne se passe guère parmi les honnêtes gens, si ce n'est parmi ceux qui logent ensemble, et qui couchent dans le même lit. Alors on peut affecter d'en lâcher quelques-uns, soit pour se faire rire, soit pour se faire pièce, et les pousser même si dodus et si distincts, qu'il n'y ait personne qui ne les prenne pour des coups de couleuvrines. J'ai connu une dame qui se couvrant l'anus avec sa chemise, s'approchait d'une chandelle récemment éteinte, et pétant et vessant lentement et par gradation, la rallumait avec la dernière adresse : mais une autre qui la voulut imiter ne réussit point, et réduisit la mèche en une poudre ardente qui se dissipa bientôt dans l'air, et se brûla le derrière, tant il est vrai qu'il n'est pas permis à tout le monde d'aller à Corinthe. Mais un amusement plus joli, c'est de recevoir une vesse dans sa main, et de l'approcher du nez de celui ou de celle avec qui l'on est couché, et de le faire juger du goût et de l'espèce. J'en connais qui n'aimerait pas trop ce jeu-là.

Le pet involontaire se fait sans la participation de celui qui lui donne l'être, et arrive ordinairement lorsqu'on est couché sur le dos, ou qu'on se baisse, ou lorsque l'on fait de grands éclats de rire, ou enfin quand on éprouve de la crainte. Cette sorte de pet est ordinairement excusable.

Chapitre X

DES EFFETS DES PETS ET DES VESSES
LEUR UTILITÉ PARTICULIÈRE

Après avoir parlé des causes des pets et des vesses, il ne nous reste plus qu'à dire quelque chose de leurs effets ; et comme ils sont de différentes natures, nous les réduirons à deux genres, c'est-à-dire, à celui des bons et des mauvais

Tous pets bons sont toujours très salutaires par eux-mêmes, en tant que l'homme se débarrasse d'un vent qui l'incommode. Cette évacuation détourne plusieurs maladies, la douleur hypocondriaque, la fureur, la colique, les tranchées, la passion iliaque, etc.

Mais lorsqu'ils sont resserrés, lorsqu'ils remontent, ou qu'ils ne trouvent pas de sortie, ils attaquent le cerveau par la prodigieuse quantité de vapeurs qu'ils y portent ; ils corrompent l'imagination, rendent l'homme mélancolique et frénétique, l'accablent de plusieurs autres maladies très fâcheuses. De là les fluctions qui se forment par la distillation des fumées de ces météores sinistres, et qui descendent dans les parties inférieures ; heureux lorsqu'on n'en est quitte que pour la toux, les catarrhes, etc., comme les médecins le disent et le démontrent sans cesse. Mais selon moi, le plus grand mal est d'être incapable de toute application et d'être rebutés par l'étude et le travail. Appliquons-nous donc, cher lecteur, à nous débarrasser aussitôt de toute envie de péter, de tous vents tranchants, du moindre malaise, enfin, causé par les vents, et au risque de faire tapage, chers concitoyens, rendons-les promptement, et lâchons-les plutôt que de nous incommoder, et de nous exposer à devenir hypocondriaques, mélancoliques, frénétiques et maniaques.

Partez comme moi de ce principe, cher lecteur, qu'il y a une utilité particulière en pétant, qui regarde chaque individu ; vous en êtes convaincu par le bien que la présence du pet procure, vous le serez encore plus par les exemples que je veux vous citer des personnes qui ont été dangereusement incommodées pour avoir retenu leurs vents.

Une dame, au milieu d'une assemblée nombreuse, est tout à coup attaquée d'un mal de côté ; alarmée d'un incident si imprévu, elle quitte une fête qui semblait n'être que pour elle, et dont elle était l'ornement. Tout le monde y prend part, on s'agite, on s'inquiète, on vole à son secours, les disciples d'Hippocrate requis précipitamment s'assemblent, consultent, recherchent la cause du mal, citent force auteurs, s'informent enfin de la conduite et du régime que la dame a tenu, la malade s'examine, et se rappelle qu'imprudemment elle a retenu un gros pet qui lui demandait son congé.

Une autre, sujette aux vents, retient douze gros pets captifs qui successivement essaient de se faire jour : elle se met à la torture pendant une longue séance, elle se présente ensuite à une table bien servie, croyant y faire figure : qu'arrive-t-il ? Elle dévore des yeux les mets dont elle ne peut tâter : tout est plein, son estomac rempli de vents ne peut plus recevoir de nourriture.

Un petit maître, un abbé poli, un grave magistrat, tous trois également contrefaits dans leurs différentes façons, font de leurs corps une caverne d'Éole : ils y introduisent les vents, l'un par ses éclats, l'autre dans ses doctes entretiens, et le dernier dans ses longues harangues. Bientôt ils sentent l'effort d'une violente tempête intestine : ils se raidissent contre sa fureur ; pas un d'eux ne lâche le moindre pet. De retour chez eux, une violente colique que toute la pharmacie peut à peine apaiser les abat impitoyablement, et les met à deux doigts de la mort.

Que de biens, au contraire cher lecteur, ne procure point un pet lâché à propos ! Il dissipe tous les symptômes d'une maladie sérieuse, il bannit toute crainte et tranquille par sa présence les esprits alarmés. Tel, se croyant dangereusement malade, appelle à son secours les sectateurs de Galien, qui tout à coup faisant un pet copieux, remercient la médecine, et se trouvent parfaitement guéris.

Tel autre se lève avec un poids énorme dans l'estomac : il sort du lit tout gonflé ; il n'a cependant point fait d'excès le jour précédent. Sans goût, sans appétit, il ne prend aucune nourriture ; il s'inquiète, il s'alarme : la nuit vient, et ne lui apporte d'autre soulagement que la faible espérance d'un sommeil interrompu. A l'instant il se met au lit, une tempête s'élève dans la basse région : les intestins émus semblent se plaindre et, après de violentes secousses, un gros pet se fait jour, et laisse notre malade tout confus de s'être inquiété de si peu de chose.

Une femme esclave du préjugé, n'avait jamais connu les avantages du pet. Depuis douze ans, victime malheureuse de sa maladie et peut-être encore plus de la médecine, elle avait épuisé tous les remèdes. Éclairée enfin sur l'utilité des pets, elle pète librement, elle pète souvent, plus de douleurs, plus de maladies : il n'est plus question que de se bien porter, elle jouit d'une santé parfaite.

Voilà les grands avantages que le pet procure à chaque particulier : qui peut après cela lui disputer son utilité, au moins particulière ? Si la vesse trouble l'économie de la société par sa nature malfaisante, le pet est son antidote ; il la détruit, et il est sûr de l'empêcher de paraître, dès qu'il a eu lui-même assez de force pour se faire un passage : car il est évident, et on ne peut en douter, pour peu qu'on examine les notions que nous avons données du pet et de la vesse, qu'on ne vesse que parce qu'on n'a pas voulu péter ; et, par conséquent, que partout où se trouvera le pet, la vesse n'aura point lieu.

Chapitre XI

AVANTAGE DES PETS POUR LA SOCIÉTÉ

L'Empereur Claude, cet empereur trois fois grand, qui ne songeait qu'à la santé de ses sujets, ayant été informé que quelques-uns d'eux avaient porté le respect jusqu'au point d'aimer mieux périr que de péter en sa présence, et ayant appris (au rapport de Suétone, de Dion et de bien d'autres historiens), qu'ils avaient été tourmentés avant de mourir, de coliques affreuses, fit publier un édit, par lequel il permettait à tous ses sujets de péter librement, même à sa table pourvu qu'on le fait clairement.

C'était, sans doute, par antiphrase qu'on lui avait donné le nom de Claude, du mot latin Claudere fermer ; car, par son édit, il faisait plutôt ouvrir les organes du pet, qu'il ne les faisait fermer. Et, ne serait-il donc pas à propos de faire revivre un pareil édit, qui selon Cujas, se trouvait dans l'ancien code, comme une infinité d'autres qu'on en a retranchés ?

L'indécence que l'on attache au pet, n'a pour principe que l'humeur et le caprice des hommes. Il n'est point contraire aux bonnes mœurs, par conséquent, il n'est point dangereux de le permettre ; d'ailleurs nous avons des preuves qu'on pète librement dans plusieurs endroits, et dans quelque partie même du monde poli, et il est de la plus grande cruauté de conserver là-dessus le moindre scrupule.

Dans une certaine paroisse distante de Caen de quatre à cinq lieues, un particulier, par droit féodal, a exigé long-temps et peut encore exiger aujourd'hui, un pet et demi par chacun an.

Les Égyptiens avaient fait du pet un dieu dont on montre encore les figures dans certains cabinets.

Les anciens, d'après la plus ou moins bruyante sortie de leurs pets, tiraient des augures pour le temps serein ou pluvieux.

Ceux de Pélouse adoraient le pet. Si l'on n'était retenu par la crainte de trop prouver, ne pourrait-on pas conclure que le pet, bien loin d'être indécent, renferme la plus parfaite et la plus majestueuse décence, puisqu'il est le signe extérieur du respect d'un sujet envers son prince ; le tribut d'un vassal à son seigneur ; digne de l'attention d'un César ; l'annonce des changements de temps, et, pour tout dire, l'objet du culte et de la vénération d'un grand peuple.

Mais continuons de prouver par d'autres exemples encore, que le pet est avantageux à la société.

Il y a des ennemis de la société, dont le pet arrête les efforts.

Par exemple ; dans un cercle nombreux, un petit-maître trouve le secret d'ennuyer : depuis une heure il étale ses grâces, montre ses dents, et dit force impertinences dont il assomme ses auditeurs. Un pet échappé l'arrête tout court, et vient fort à propos tirer tous les esprits de captivité, en faisant diversion au babil assassin de leur ennemi commun. Ce n'est pas tout, le pet procure encore des biens réels. La conversation est le lien le plus charmant de la société ; le pet y fournit à merveille.

Une assemblée brillante, depuis deux heures garde un silence plus morne que celui qui règne à la Grande Chartreuse ; les uns se taisent par cérémonie, les autres par timidité, d'autres enfin par ignorance : l'on est prêt de se séparer sans avoir prononcé un mot. Un pet se fait entendre, aussitôt un murmure sourd prélude à une longue dissertation que la critique dirige et que la plaisanterie assaisonne. C'est donc à ce pet que la société est redevable de la rupture d'un silence burlesque, et de la matière d'une conversation enjouée : le pet est donc également utile à la société en général. On pourrait ajouter qu'il lui est agréable.

Les ris, et souvent les éclats qu'excite le pet dès qu'il se fait entendre prouvent assez ses agréments et ses charmes : le plus sérieux personnage perd sa gravité à ses approches ; il n'est point de prud'homie qui tienne contre lui ; le son harmonieux et imprévu qui constitue son essence dissipe la léthargie des esprits. Dans une troupe de philosophes attentifs aux pompeuses maximes qu'un d'entre eux débite avec méthode, qu'un pet se glisse incognito, la morale déroutée prend aussitôt la fuite ; on rit, on se pâme, et la nature se donne carrière d'autant plus volontiers, qu'elle est plus souvent gênée dans ces hommes extraordinaires.

Qu'on ne dise point, par un dernier trait d'injustice, que

les ris excitent le pet, sont plutôt des signes de pitié et de mépris, que la marque d'une véritable joie ; le pet contient en lui-même un agrément essentiel, indépendant des lieux et des circonstances.

Près d'un malade, une famille en pleurs attend le fatal moment qui doit lui enlever un chef, un fils, un frère ; un pet, parti avec fracas du lit du moribond, suspend la douleur des assistants, fait naître une lueur d'espérance, et excite au moins un sourire.

Si, près d'un moribond, où tout ne respire que la tristesse, le pet peut égayer les esprits et dilater les cœurs, doutera-t-on du pouvoir de ses charmes ? En effet, étant susceptible de différentes modifications, il varie ses agréments, et par-là il doit plaire généralement. Tantôt précipité dans sa sortie, impétueux dans son mouvement, il imite le fracas du canon ; et pour lors, il plaît à l'homme de guerre ; tantôt retardé dans sa course, gêné dans son passage par les deux hémisphères qui le compriment, il imite les instruments de musique. Bruyant quelquefois dans ses accords, souvent flexible et moelleux dans sa modulation, il doit plaire aux âmes sensibles, et presque à tous les hommes, parce qu'il en est peu qui n'aiment la musique. Le pet étant agréable, son utilité tant particulière que générale, étant bien démontrée, sa prétendue indécence combattue et détruite, qui pourra lui refuser son suffrage ? Qui osera désormais le taxer d'indécence, quand on le montre permis et approuvé en certains endroits, proscrit seulement en d'autres par les lois seules du préjugé ; quand on fait voir qu'il ne blesse ni la politesse ni les bonnes mœurs, parce qu'il ne frappe les organes que d'un son harmonieux, et qu'il n'afflige jamais l'odorat par une vapeur malfaisante ? Pourrait-on même le regarder comme indifférent, puisqu'il est utile à chaque particulier, en dissipant ses inquiétudes sur les maladies qu'il craignait, et en lui apportant de grands soulagements ? La société enfin serait-elle assez ingrate pour ne pas s'avouer redevable envers lui, lorsqu'il la débarrasse des importuns qui l'accablent, et qu'il contribue à ses plaisirs, en faisant naître partout où il se trouve, les ris et les jeux ? Ce qui est utile, agréable et honnête, est censé avoir une bonté et une valeur réelles. Cic. Liv. 1 des Offices.

Chapitre XII

MOYENS DE DISSIMULER UN PET, EN FAVEUR DE CEUX QUI TIENNENT AU PRÉJUGÉ

Les anciens loin de blâmer les Péteurs, encourageaient au contraire leurs disciples à ne point se gêner. Les Stoïciens dont la philosophie était la plus épurée dans ces temps-là, disaient que la devise des hommes était, à la liberté, et les plus excellents philosophes, Cicéron lui-même, qui en étaient persuadés préféraient la doctrine Stoïque aux autres sectes qui traitaient de la félicité de la vie humaine.

Tous convainquirent leurs adversaires ; et par des arguments sans réplique, ils les obligèrent de reconnaître que parmi les préceptes salutaires de la vie, non seulement les pets, mais encore les rots, devaient être libres. On peut voir ces arguments dans la neuvième épître familière de Cicéron à Poete, 174, et l'on y verra entre une infinité de bons conseils celui-ci : qu'il faut faire et se conduire en tout selon que la nature l'exige. D'après de si excellents préceptes, il est donc inutile d'alléguer avec emphase les lois de la pudeur et de la civilité qui, malgré les égards qu'on dit qu'elles exigent, ne doivent cependant pas l'emporter sur la conservation de la santé et celle de la vie même.

Mais enfin, si quelqu'un est tellement esclave de ce

préjugé qu'il n'en puisse point rompre la chaîne, sans le dissuader de péter, lorsque la nature l'exigera, nous allons lui donner les moyens de dissimuler au moins son pet.

Qu'il observe donc, à l'instant que le pet se manifestera, de l'accompagner d'un vigoureux hem, hem. Si ses poumons ne sont pas assez forts, qu'il affecte un grand éternuement ; alors il sera accueilli, fêté même de toute la compagnie, et on le comblera de bénédictions. S'il est assez maladroit pour ne pouvoir faire ni l'un ni l'autre, qu'il crache bien fort ; qu'il remue fortement sa chaise : enfin, qu'il fasse quelque bruit capable de couvrir son pet. Et s'il ne peut faire tout cela, qu'il serre les fesses bien fort ; il arrivera que, par la compression et le resserrement du grand muscle de l'anus, il convertira en femelle ce qui devait se manifester en mâle ; mais cette malheureuse finesse fera payer bien cher à l'odorat ce qu'elle épargnera à l'ouïe ; on tombera dans le cas de l'énigme suivante du Mercure galant de Boursault :

> Je suis un invisible corps,
> Qui de bas lieu tire mon être ;
> Et je n'ose faire connaître,
> Ni qui je suis, ni d'où je sors :
> Pour m'échapper, j'use d'adresse ;
> Et devient femelle traîtresse,
> De mâle que j'aurais été.

Mais je ne puis dissimuler à mon tour, que toutes les ruses tournent souvent au préjudice de celui qui les emploie, et qu'il arrive fréquemment qu'on fait rentrer dans ses flancs un ennemi qui les déchire impitoyablement. D'où résulteront tous les maux que nous avons détaillés plus haut, chapitre III.

Il peut encore arriver que voulant se retenir, on commet un plus grand nombre d'incongruités, parce qu'alors on ne saurait supporter la douleur des tranchées et des coliques, et que les vents se présentant en foule, on lâche une canonnade risiblement épouvantable. C'est ce qui arriva à

Aethone dont parle Martial, qui voulant saluer Jupiter, et se baissant profondément selon la coutume des anciens, lâcha un pet qui fit trembler tout le capitole.

> *Multis dum precibus Jovem salutat,*
> *Stans summos resupinus usque in ungues,*
> *Aethon in Capitolio, pepedit.*
> *Riserunt Comites : sed ipse Divum,*
> *Offensus genitor, trinoctiali*
> *Affecit domicoenio clientem.*
> *Post hoc flagitium misellus Aethon,*
> *Cum vult in Capitolium venire,*
> *Sellas ante pedit Patroclianas,*
> *Et pedit deciesque viviesque.*
> *Sed quamvis sibi caverit crepando,*
> *Compressis natibus Jovem salutat.*
> MART., Lib. XII, Ep. 77.

Chapitre XIII

DES SIGNES DES EFFETS PROCHAINS DES PETS

On en compte de trois sortes ; les apodictiques, les nécessaires, et les probables.

Les signes apodictiques sont ceux dont la cause étant présente, annonce que l'effet ne tardera pas à se manifester. Ainsi un homme qui aura mangé des pois et d'autres légumes, des raisins, des figues nouvelles, qui aura bu du vin doux, caressé sa femme ou sa maîtresse, peut s'attendre à un signe prochain d'explosion.

Les nécessaires sont ceux où il résulte un second effet, du premier, comme le tintamarre, la mauvaise odeur, etc.

Enfin, les probables sont ceux qui ne se rencontrent pas toujours, et n'accompagnent point ordinairement toutes les espèces de pets comme la contraction, le bruit ou l'aboiement du ventre, la toux et les petites ruses de chaises, d'éternuement, ou de trépignement de pieds, pour n'être pas reconnu péteur.

Il est bon de prévenir les jeunes gens et les vieillards, de s'accoutumer à ne point rougir lorsqu'ils péteront ; mais d'en rire les premiers, pour égayer la conversation.

On n'a point encore décidé si de péter en urinant est un effet malin ou bénin ; pour moi, je le crois bénin, et me fonde sur l'axiome qui me paraît assez vrai, qui dit que :

Mingere cum bombis res est gratissima lumbis.

En effet, pisser sans péter, c'est aller à Dieppe sans voir la mer.

Cependant il est ordinaire de pisser avant que de péter, parce que les vents aident à la première opération en comprimant la vessie, et ils se manifestent ensuite.

Chapitre XIV

DES REMÈDES ET DES MOYENS POUR PROVOQUER
LES PETS.
PROBLÈME. QUESTION CHIMIQUE
ESPRIT DES PETS, POUR LES TACHES DE ROUSSEUR.
CONCLUSION.

Comme il est des privations de tous genres, et qu'un assez grand nombre de personnes ne pètent que rarement et difficilement, qu'il leur arrive par conséquent une infinité d'accidents et de maladies, j'ai pensé que je devais écrire pour eux, et mettre en un petit chapitre réservé les remèdes et les moyens qui peuvent les exciter à rendre les vents qui les tourmentent. Je dirai donc en deux mots et en leur faveur, qu'il y a deux espèces de remèdes pour provoquer les vents, les internes et les externes.

Les remèdes internes, sont l'anis, le fenouil, les zédoaires, enfin tous les carminatifs et les échauffants.

Les remèdes externes sont les clistères et les suppositoires.

Qu'ils fassent usage des uns et des autres, ils seront certainement soulagés.

PROBLÈME

On demande s'il y a analogie entre les sons ; si on peut les marier, et en faire un ensemble d'une musique pétifique ? On demande aussi combien il y a de genres de pets par rapport à la différence du son ?

Quant à la première question, un musicien très célèbre répond du succès de la musique demandée, et promet incessamment un concert dans ce genre.

A l'égard de la seconde question, on répond qu'il y a soixante et deux sortes de sons parmi les pets. Car, selon Cardan, le podex peut produire et former quatre modes simples de pets, l'aigu, le grave, le réfléchi et le libre. De ces modes il s'en forme cinquante-huit, qui, avec l'addition des quatre premiers, donne dans la prononciation, soixante et deux sons, ou espèces différentes de pets.

Les compte qui voudra.

QUESTION CHIMIQUE

ESPRIT DE PETS, POUR LES TACHES DE ROUSSEUR, ETC.

On demande s'il est possible en chimie de distiller un pet, et d'en tirer la quintessence ?

On répond affirmativement

Un apothicaire vient de reconnaître tout récemment que le pet était de la classe des esprits, *e numero spirituum*. Après avoir eu recours à son alambic, voici comme il procéda.

Il fit venir une hybernoise de son voisinage, qui mangeait en un repas autant de viande que six muletiers en mangeraient de Paris à Montpellier. Cette femme ruinée par son appétit et la chaleur de son foie, gagnait sa vie comme elle pouvait. Il lui servit des viandes autant qu'elle en voulut, et qu'elle en put manger, avec force légumes venteux. Il lui prescrivit de ne point péter ni vesser sans l'avertir auparavant. Aux approches des vents, il prit un de ces larges récipients, tels qu'on les emploie pour faire l'huile de vitriol, et l'appliqua exactement à son anus, l'excitant encore à péter par des carminatifs agréables, et lui faisant boire de l'eau d'anis ; enfin, de toutes les liqueurs de sa boutique capables de répondre à son intention. L'opération se fit à souhait, c'est-à-dire, très copieusement. Alors notre apothicaire prit une certaine substance huileuse ou balsamique dont j'ai oublié le nom, qu'il jeta dans le récipient, et fit condenser le tout au soleil par circulation ; ce qui produisit une quintessence merveilleuse. Il s'imagina que quelques gouttes de ce résultat pourraient enlever les taches de rousseur de la peau, il en essaya le lendemain sur le visage de madame son épouse, qui perdit sur le champ toutes ses taches, et vit avec plaisir son teint blanchir à vue d'œil. On espère que les dames feront usage de ce spécifique, et qu'elles feront la fortune de l'apothicaire, à qui on ne reprochera plus qu'il ne connaissait que la carte des Pays-Bas.

CONCLUSION

Pour ne laisser rien à désirer sur l'art de péter, nous nous flattons qu'on trouvera ici avec plaisir, la liste de quelques pets qui n'ont point été insérés dans le cours de cet ouvrage. On ne saurait prévoir tout, principalement dans cette matière peu battue et traitée pour la première fois. Ce n'a donc été qu'après des mémoires qu'on vient de nous envoyer tout récemment, que nous avons écrit ce qui suit. Nous commencerons par les pets provinciaux, pour faire honneur à la province.

LES PETS DE PROVINCE

Gens expérimentés nous assurent que ces pets ne sont pas si falsifiés que ceux de Paris, où l'on raffine sur tout. On ne les sert pas avec tant d'étalage ; mais ils sont naturels et ont un petit goût salin, semblable à celui des huîtres vertes. Ils réveillent agréablement l'appétit.

PETS DE MÉNAGE

Nous apprenons d'après les remarques d'une grande ménagère de Pétersbourg, que ces sortes de pets sont d'un goût excellent dans leur primeur ; et que quand ils sont chauds, on les croque avec plaisir ; mais que dès qu'ils sont rassis, ils perdent leur saveur, et ressemblent aux pilules qu'on ne prend que pour le besoin.

PETS DE PUCELLES

On écrit de l'isle des Amazones que les pets qu'on y fait sont d'un goût délicieux et fort recherchés. On dit qu'il n'y a que dans ce pays où l'on en trouve, mais on n'en croit rien : toutefois on avoue qu'ils sont extrêmement rares.

PETS DE MAÎTRES EN FAIT D'ARMES

Les lettres du camp près de Constantinople, marquent que les pets de maîtres en fait d'armes sont terribles, et qu'il ne fait pas bon de les sentir de trop près ; car comme ils sont toujours plastronnés, on dit qu'il ne faut les approcher que le fleuret à la main.

PETS DE DEMOISELLES

Ce sont des mets exquis, surtout dans les grandes villes, où on les prend pour du bon croquet à la fleur d'orange.

PETS DE JEUNES FILLES

Quand ils sont mûrs, ils ont un petit goût de revas-y, qui flatte les véritables connaisseurs.

PETS DE FEMMES MARIÉES

On aurait bien un long mémoire à transcrire sur ces pets ; mais on se contentera de la conclusion de l'auteur, et l'on dira, d'après lui, « qu'ils n'ont de goût que pour les amants, et que les maris n'en font pas d'ordinaire grand cas ».

PETS DE BOURGEOISES

La bourgeoisie de Rouen et celle de Caen nous ont envoyé une longue adresse en forme de dissertation sur la nature des pets de leurs femmes : nous voudrions bien satisfaire l'une et l'autre, en transcrivant cette dissertation tout de son long ; mais les bornes que nous nous sommes prescrites, nous le défendent. Nous dirons en général que le pet de bourgeoise est d'un assez bon fumet, lorsqu'il est bien dodu et proprement accommodé, et que, faute d'autres, on peut très bien s'en contenter.

PETS DE PAYSANNES

Pour répondre à certains mauvais plaisants qui ont perdu de réputation les pets de paysannes, on écrit des environs d'Orléans qu'ils sont très beaux et très bien faits : quoique accommodés à la villageoise, qu'ils sont encore de fort bon goût, et l'on assure les voyageurs que c'est un véritable morceau pour eux, et qu'ils pourront les avaler en toute sûreté comme des gobets à la courte-queue.

PETS DE BERGÈRES

Les bergères de la vallée de Tempé en Thessalie, nous donnent avis que leurs pets ont le véritable fumet du pet, c'est-à-dire, qu'ils sentent le sauvageon, parce qu'ils sont produits dans un terrain où il ne croît que des aromates ; comme le serpolet, la marjolaine, etc., et qu'elles entendent qu'on distingue leurs pets de ceux des autres bergères qui prennent naissance dans un terroir inculte.

La marque distinctive qu'elles enseignent pour les reconnaître et n'y être pas trompés, c'est de faire ce que l'on fait aux lapins pour être sûrs qu'ils sont de garenne, flairer au moule.

PETS DE VIEILLES

Le commerce de ces pets est si désagréable, qu'on ne trouve point de marchand pour les négocier. On ne prétend pas pour cela empêcher personne d'y mettre le nez ; le commerce est libre.

PETS DE BOULANGERS

Voici une petite note que nous avons reçue à ce sujet d'un maître boulanger du Havre.

« L'effort, dit-il, que l'ouvrier fait en faisant sa pâte, le ventre serré contre le pétrin, rend les pets diphtongues : ils se tiennent quelquefois comme des hannetons, et on pourrait en avaler une douzaine tout d'une tire. » Cette remarque est des plus savantes, et de fort bonne digestion.

PETS DE POTIERS DE TERRE

Quoiqu'ils soient faits au tour, ils n'en sont pas meilleurs ; ils sont sales, puants, et tiennent aux doigts. On ne peut les toucher, crainte de s'embrener.

PETS DE TAILLEURS

Ils sont de bonne taille ; et ont un goût de prunes : mais les noyaux en sont à craindre.

PETS DE GÉOGRAPHES

Semblables à des girouettes, ils tournent à tous les vents. Quelquefois, cependant ils s'arrêtent du côté du Nord, ce qui les rend perfides.

PETS DE LAÏS

On en trouve d'assez drôles ; leur goût est assez appétissant, ils crient toujours famine en langue allemande : mais prenez-y garde, il y a bien de l'alliage. Si vous ne trouvez pas mieux, prenez-les au poinçon de Paris.

PETS DE COCUS

Il y en a de deux sortes. Les uns sont doux, affables, mous, etc. Ce sont les pets des cocus volontaires : ils ne sont pas malfaisants. Les autres sont brusques, sans raison et furieux ; il faut s'en donner de garde. Ils ressemblent au limaçon qui ne sort de sa coquille que les cornes les premières. *Foenum habent in cornu.*

PETS DE SAVANTS

Ces derniers sont précieux, non par leur volume, mais par la noblesse du foyer d'où ils sortent. Ils sont aussi très rares, parce que les savants, rangés sur les banquettes de l'académie, ne pouvant, dans une assemblée publique, interrompre une lecture importante, pour donner l'essor à un pet, sont obligés de le féminiser pour lui donner un passeport, et ne pas déranger l'ordre des travaux et des lectures. Ils sont en revanche vigoureux quand ils sont les enfants de la solitude et de la liberté, car les savants de nos jours mangent plus de fèves que de poulardes.

Quant aux petits auteurs, comme moi, nous avons carte blanche dans le cabinet ; nous nous égayons par la bruyante harmonie du pet diphtongue ; elle nous fournit des idées, dans la composition de l'ode, et son bruit se mêle agréablement à l'emphase avec laquelle nous récitons nos vers. Le célèbre Boursault fit certainement beaucoup de jolis pets, et les regarda avec autant de vérité et de goût qu'il l'a fait dans son *Mercure galant.*

PETS DE COMMIS

Ceux-ci sont les mieux nourris et font honneur à la cuisine de leurs auteurs. Aussi m'est-il arrivé plusieurs fois, en fréquentant les bureaux, d'entendre des salves de pets, dont les plumitifs, indolents et désœuvrés, s'amusent à se saluer réciproquement. C'est à qui développera la plus belle et la plus sonore bataille. C'est un concert brillant et bien soutenu. Si ces messieurs n'ont rien de mieux à faire, ils ont raison, il faut égayer l'ennui d'un bureau, et il vaut mieux péter pour tuer le temps, que de médire, de faire des libelles, ou de mauvais vers.

D'ailleurs, j'ai amplement démontré les inconvénients terribles qu'occasionnerait la crainte de péter ; et je ne puis trop louer ceux des commis laborieux qui, plus sages que Métroctès, aiment mieux passer pour grossiers, en lâchant le captif, que d'interrompre leur besogne en allant péter dans le corridor, car un proverbe dit : « Il vaut mieux péter en compagnie que de crever dans un petit coin. »

PETS D'ACTEURS ET D'ACTRICES

Ces pets ne paraissent point sur la scène ; mais puisqu'on y fait paraître des chevaux, il est probable qu'on leur accordera le même privilège : jusqu'à ce moment, ils s'y trouvent incognito et de contrebande, comme ceux des savants, en changeant de sexe. Notre théâtre offre tous les jours des innovations si heureuses dans le comique, que je ne serais pas surpris d'entendre une pétarade arrangée par M. Z***.

FIN DE L'ART DE PÉTER

ÉLOGE DE LA MOUCHE
par
LUCIEN DE SAMOSATE [1]

1. La mouche n'est pas le plus petit des êtres ailés, si on la compare aux moucherons, aux cousins, et à de plus légers insectes ; mais elle les surpasse en grosseur autant qu'elle le cède elle-même à l'abeille. Elle n'a pas, comme les autres habitants de l'air, le corps couvert de plumes, dont les plus longues servent à voler ; mais ses ailes, semblables à celles des sauterelles, des cigales et des abeilles, sont formées d'une membrane dont la délicatesse surpasse autant celles des autres insectes qu'une étoffe de la Grèce. Elle est fleurie de nuances comme les paons, quand on la regarde avec attention, au moment où, se déployant au soleil, elle va prendre l'essor.

2. Son vol n'est pas, comme celui de la chauve-souris, un battement d'ailes continu, ni un bond comme celui de la sauterelle ; elle ne fait point entendre un son strident comme la guêpe, mais elle plane avec grâce dans la région de l'air à laquelle elle peut s'élever. Elle a encore cet avantage, qu'elle ne reste pas dans le silence, mais qu'elle chante en volant, sans produire toutefois le bruit insupportable des moucherons et des moustiques, ni le bourdonnement de l'abeille, ni le frémissement terrible et

1. D'après la traduction d'Eugène Talbot, parue chez Hachette en 1874.

menaçant de la guêpe : elle l'emporte sur eux en douceur autant que la flûte a des accents plus mélodieux que la trompette et les cymbales.

3. En ce qui regarde son corps, sa tête est jointe au cou par une attache extrêmement ténue ; elle se meut en tous sens avec facilité et ne demeure pas fixe comme dans la sauterelle : ses yeux sont saillants, solides, et ressemblent beaucoup à de la corne ; sa poitrine est bien emboîtée, et les pieds y adhèrent, sans y rester collés comme dans les guêpes. Son ventre est fortement plastronné, et ressemble à une cuirasse avec ses larges bandes et ses écailles. Elle se défend contre son ennemi, non avec son derrière, comme la guêpe et l'abeille, mais avec la bouche et la trompe, dont elle est armée comme les éléphants, et avec laquelle elle prend sa nourriture, saisit les objets et s'y attache, au moyen d'un cotylédon placé à l'extrémité. Il en sort une dent avec laquelle elle pique et boit le sang. Elle boit aussi du lait, mais elle préfère le sang, et sa piqûre n'est pas très douloureuse. Elle a six pattes, mais elle ne marche que sur quatre ; les deux de devant lui servent de mains. On la voit donc marcher sur quatre pieds, tenant dans ses mains quelque nourriture qu'elle élève en l'air d'une façon tout humaine, absolument comme nous.

4. Elle ne naît pas telle que nous la voyons : c'est d'abord un ver éclos du cadavre d'un homme ou d'un animal ; bientôt il lui vient des pieds, il lui pousse des ailes, de reptile elle devient oiseau ; puis, féconde à son tour, elle produit un ver destiné à être plus tard une mouche. Nourrie avec les hommes, leur commensale et leur convive, elle goute à tous les aliments excepté l'huile : en boire, pour elle c'est la mort. Quelque rapide que soit sa destinée, car sa vie est limitée à un court intervalle, elle se plaît à la lumière et vaque à ses affaires en plein jour. La nuit, elle demeure en paix, elle ne vole ni ne chante, mais elle reste blottie et sans mouvement.

5. Pour prouver que son intelligence est loin d'être bornée, il me suffit de dire qu'elle sait éviter les pièges que lui tend l'araignée, sa plus cruelle ennemie. Celle-ci se place en embuscade, mais la mouche la voit, l'observe, et détourne son essor pour ne pas être prise dans les filets et ne pas tomber entre les pattes de cette bête cruelle. A l'égard de sa force et de son courage, ce n'est point à moi qu'il appartient d'en parler, c'est au plus sublime des poètes, à Homère. Ce poète, voulant faire l'éloge d'un de ses plus grands héros, au lieu de le comparer à un lion, à une panthère, ou à un sanglier, met son intrépidité et la constance de ses efforts en parallèle avec l'audace de la mouche, et il ne dit pas qu'elle a de la jactance, mais de la vaillance. C'est en vain, ajoute-t-il, qu'on la repousse, elle n'abandonne pas sa proie, mais elle revient à sa morsure. Il aime tant la mouche, il se plaît si fort à la louer, qu'il n'en parle pas seulement une fois ni en quelques mots, mais qu'il en rehausse souvent la beauté de ses vers. Tantôt, il en représente un essaim qui vole autour d'un vase plein de lait ; ailleurs, lorsqu'il nous peint Minerve détournant la flèche qui allait frapper Ménélas à un endroit mortel, comme une mère qui veille sur son enfant endormi, il a soin de faire entrer la mouche dans cette comparaison. Enfin, il décore les mouches de l'épithète la plus honorable, il les appelle serrées en bataillons, et donne le nom de nations à leurs essaims.

6. La mouche est tellement forte, que tout ce qu'elle mord, elle le blesse. Sa morsure ne pénètre pas seulement la peau de l'homme, mais celle du cheval et du bœuf. Elle tourmente l'éléphant, en s'insinuant dans ses rides, et le blesse avec sa trompe autant que sa grosseur le lui permet. Dans ses amours et son hymen, elle jouit de la plus entière liberté : le mâle, comme le coq, ne descend pas aussitôt qu'il est monté ; mais il demeure longtemps à cheval sur sa

femelle, qui porte son époux sur son dos et vole avec lui, sans que rien trouble leur union aérienne. Quand on lui coupe la tête, le reste de son corps vit et respire longtemps encore.

7. Mais le don le plus précieux que lui ait fait la nature, c'est celui dont je vais parler : et il me semble que Platon a observé ce fait dans son livre sur l'immortalité de l'âme. Lorsque la mouche est morte, si on jette sur elle un peu de cendre, elle ressuscite à l'instant, reçoit une nouvelle naissance et recommence une seconde vie. Aussi tout le monde doit-il être convaincu que l'âme des mouches est immortelle, et que, si elle s'éloigne de son corps pour quelques instants, elle y revient bientôt après, le reconnaît, le ranime et lui fait prendre sa volée. Enfin elle rend vraisemblable la fable d'Hermotimus de Clazomène, qui disait que souvent son âme le quittait, et voyageait seule, qu'ensuite elle revenait, rentrait dans son corps, et ressuscitait Hermotimus.

8. La mouche, cependant, est paresseuse ; elle recueille le fruit du travail des autres, et trouve partout une table abondante. C'est pour elle qu'on trait les chèvres ; que l'abeille, aussi bien que pour les hommes, déploie son industrie ; que les cuisiniers assaisonnent leurs mets, dont elle goûte avant les rois, sur la table desquels elle se promène, vivant comme eux et partageant tous leurs plaisirs.

9. Elle ne place point son nid et sa ponte dans un lieu particulier, mais, errante en son vol, à l'exemple des Scythes, partout où la nuit la surprend, elle établit sa demeure et son gîte. Elle n'agit point, comme je l'ai déjà dit, pendant les ténèbres : elle ne veut pas dérober la vue de ses actions et ne croit pas devoir faire alors ce qu'elle rougirait de faire en plein jour.

10. La fable nous apprend que la mouche était autrefois une femme d'une beauté ravissante, mais un peu bavarde, d'ailleurs musicienne et amateur de chant. Elle devint rivale de la lune dans ses amours avec Endymion. Comme elle se plaisait à réveiller ce beau dormeur, en chantant sans cesse à ses oreilles et lui contant mille sornettes, Endymion se fâcha, et la lune irritée la métamorphosa en mouche. De là vient qu'elle ne veut laisser dormir personne, et le souvenir de son Endymion lui fait rechercher de préférence les jolis garçons, qui ont la peau tendre. Sa morsure, le goût qu'elle a pour le sang, ne sont donc pas une marque de cruauté, c'est un signe d'amour et de philanthropie : elle jouit comme elle peut et cueille une fleur de beauté.

11. Il y eut chez les anciens une femme qui portait le nom de Mouche : elle excellait dans la poésie, aussi belle que sage. Une autre Mouche fut une des plus illustres courtisanes d'Athènes. C'est d'elle que le poète comique a dit :

> La Mouche l'a piqué jusques au fond du cœur.

Ainsi, la muse de la comédie n'a pas dédaigné d'employer ce nom et de le produire sur la scène ; nos pères ne se sont point fait un scrupule d'appeler ainsi leurs filles. Mais la tragédie elle-même parle de la mouche avec le plus grand éloge, quand elle dit :

> Quoi ! la mouche peut bien, d'un courage invincible
> Fondre sur les mortels, pour s'enivrer de sang,
> Et des soldats ont peur du fer étincelant !

J'aurais encore beaucoup de choses à dire de la mouche, fille de Pythagore, si son histoire n'était connue de tout le monde.

12. Il y a une espèce particulière de grandes mouches, qu'on appelle communément mouches militaires ou chiens : elles font entendre un bourdonnement très prononcé ; leur vol est rapide ; elles jouissent d'une très longue vie et passent l'hiver sans prendre de nourriture, cachées surtout dans les lambris. Ce qu'il y a de plus extraordinaire chez elles, c'est qu'elles remplissent à tour de rôle les fonctions de mâles et de femelles, couvrant après avoir été couvertes, et réunissant, comme le fils d'Hermès et d'Aphrodite, un double sexe et une double beauté. Je pourrais ajouter encore bien des traits à cet éloge ; mais je m'arrête, de peur de paraître vouloir, comme dit le proverbe, faire d'une mouche un éléphant.

Dali, en 1935, avait déjà consacré à Picasso un poème qui rassemblait toutes ses idées et ses prémonitions sur l'expérience géniale de celui qu'il considère comme son autre père[1].

le phénomène biologique
et dynastique
que constitue le cubisme
de
Picasso
a été
le premier grand cannibalisme imaginatif
dépassant les ambitions expérimentales
de la physique mathématique
moderne.

*

La vie de Picasso
formera la base polémique
encore incomprise
selon laquelle
la psychologie physique
ouvrira de nouveau
une brèche de chair vive
et d'obscurité

Extrait de *La Conquête de l'Irrationnel*, Éditions Surréalistes, 1935.

à la philosophie.

*

Car à cause
de la pensée matérialiste
anarchique
et systématique
de
Picasso
nous pourrons connaître physiquement
expérimentalement
et sans besoin
des nouveautés « problématiques » psychologiques
à saveur kantienne
des « gestaltistes »
toute la misère
des
objets de conscience
localisés et confortables
avec leurs atomes lâches
les sensations infinies
et
diplomates.

*

Car la pensée hyper-matérialiste
de Picasso
prouve
que le cannibalisme de la race
dévore
« l'espèce intellectuelle »
que le vin régional
mouille déjà
la braguette familiale
des mathématiques phénoménologistes
de l'avenir
qu'il existe des « figures strictes »
extra-psychologiques
intermédiaires
entre

la graisse imaginative
et
les idéalismes monétaires
entre
les arithmétiques transfinies
et les mathématiques sanguinaires
entre l'entité « structurale »
d'une « sole obsédante »
et la conduite des êtres vivants
en contact avec « la sole obsédante »
car la sole en question
reste
totalement extérieure
à la compréhension
de
la
gestalt-theorie
puisque
cette théorie de la figure
stricte
et de la structure
ne possède pas
de moyens physiques
permettant
l'analyse
ni même
l'enregistrement
du comportement humain
vis-à-vis
des structures
et des figures
se présentant
objectivement
comme
physiquement délirantes
car
il n'existe pas
de nos jours
que je sache
une physique
de la psycho-pathologie
une physique de la paranoïa

ce qui ne pourrait être considéré
que
comme
la base expérimentale
de la prochaine
philosophie
de la
psycho-pathologie
de la prochaine
philosophie de l'activité « paranoïaque-critique »
laquelle un jour
je tenterai d'envisager polémiquement
si j'en ai le temps
et l'humeur.

LA MYSTIQUE DALINIENNE
DEVANT
L'HISTOIRE DES RELIGIONS

Après la première guerre mondiale, le mouvement surréaliste se présenta comme un irrésistible raz de marée balayant tout ce qui se trouvait sur son passage. A côté d'un essentiel renouvellement de l'imagination (et nécessairement lié à lui pour lui permettre de se réaliser) se trouvait une force de destruction qui s'acharna sur tous les pouvoirs constitués niant toutes les valeurs sociales : armée, gouvernement, religion, art classique des musées qui furent systématiquement choisis pour cible, grossièrement, voire scatologiquement, insultés, parfois humoristiquement ridiculisés (les moustaches de la Vénus de Milo).

Que seul parmi les plus grands, Dali, si typiquement surréaliste, par le fonctionnement mental de son imagination (tout au moins) ait réussi à faire de sa propre expérience religieuse quotidienne « catholique, apostolique et romaine », une matière artistique de grand style, capable de rester conforme à la fois à l'esprit du dogme (comme en témoigne l'entrevue avec Sa Sainteté Pie XII) et à l'esprit surréaliste — tout au moins à l'essentiel : le mécanisme mental de la création imaginative — ceci constitue un événement assez extraordinaire et nous pouvons aisément présumer que de la rencontre de ces deux phénomènes aussi riches et denses d'humanité que le surréalisme et le christianisme doit résulter une richesse humaine portée à la deuxième puissance.

Nous savions que depuis quelques années des préoccupations religieuses, disons même mystiques, avaient pris une croissante importance dans la vie de Salvador Dali. Ses lectures comme ses entrevues avec les plus érudits des prélats espagnols en font foi. Saint Jean de la Croix, sainte Thérèse d'Avila, Ignace de Loyola : les grands textes mystiques comme les plus difficiles problèmes théologiques constituaient le fond permanent des préoccupations et des spéculations du créateur de Cadaquès. Le résultat en fut *Le Manifeste mystique du Surréalisme* et une nouvelle période inconographique dans ce que Michel Tapié a appelé avec tant de bonheur « la continuité dalinienne ». Cette période est centrée sur deux thèmes : « La Nativité » (de 1949 à 1951) et « La Madone mystique » qui en est le couronnement, puis après 1951 la Passion du Seigneur. Et c'est le grand miracle de l'invention dalinienne qu'un pareil engagement dans les constructions verbales de l'ontologie religieuse la plus abstraite et la moins plastique n'ait pas tari les sources profondes d'une imagination visionnaire.

Le grand miracle est qu'alors ayant troqué la scolastique pour un pinceau et des couleurs cet « exalté, odieusement arriviste, cabot et mégalomane » pour ceux qui n'en veulent considérer que la surface, oublie totalement toutes ces superstructures contingentes et historiques, et retrouve, déterre, les stratifications les plus archaïques, le plus lointain héritage de stades dépassés depuis des millé naires. Tel est le résultat d'une étude de la Madone mystique par exemple, faite non pas d'un point de vue esthétique mais du point de vue de l'histoire des religions. Une succession d'emboîtements de tableaux l'un centré sur l'autre : la Vierge Mère, le Christ, le pain : le pain emblème végétal du grain — semence nourricière, symbole renforcé par, au-dessous, l'épi de blé, au-dessus, l'œuf relié par un fil à un coquillage et à droite une grenade et des vierges coquillages — au-dessous le « Rhinoceronticus-Protonicus » et sa corne (sectionnée). Les études préliminaires à cette œuvre nous montrent la Naissance du Christ sous l'aspect d'un grain qui germe en disloquant la tête de la Madone. Ailleurs le Rhinoceronticus apparaît dans les nuages à un ange en adoration. Or, le plus lointain message religieux qui nous soit parvenu de nos ancêtres préhistoriques est celui de l'inhumation de leurs morts, recroquevillés en position fœtale dans une poche de terre, dans une jarre, souvent placés dans une caverne, symbole peu déguisé de renaissance dans l'au-delà. Puis c'est le culte de la « Magna Mater », la Grande Mère « Umma », « Amma », « Ma », « Maya », mère du Bouddha, devenue « Maria » dans la religion chrétienne, dont les noms archaïques sont encore réinventés par les enfants actuels. Essentiellement nourricière et procréatrice soit sur le mode végétal, contemporain des civilisations agricoles : culte de l'épi, du blé, du grain, donc par excellence de Cybèle, Démeter etc., parfois plus tard le culte du fruit, la grenade, le raisin, générateur de la boisson d'ivresse dionysiaque, elle-même variante de toutes les nombreuses boissons d'extase et d'immortalité (haoma iranien, soma hindou, etc.) ; soit sur le mode animal : la « Magna Mater », souvent vache sacrée (de l'Inde à l'Égypte), et flanquée d'un dieu taurin, contemporains des civilisations pastorales : et ce sont Enlil, Bel (mésopotamien), Mitra (iranien), Min, Amon (égyptiens), les Zeus (troyen, crétois, mycénien), son fils Dyonisos : dieu-taureau dont le Minotaure, l'enlèvement d'Europe, l'adoration du Veau d'Or de la Bible, les courses de taureaux d'Espagne ne sont que des survivances parmi tant d'autres. Or, toujours, ce dieu taureau est un dieu du ciel, encore appelé le Très-Haut et souvent lié à des états d'ivresse prophétique (cas d'Amon, Apis, Dionysos, etc.). L'état d'extase obtenu par la méthode « paranoïaque-critique » se présente ainsi comme un succédané des ivresses sacrées, et lié comme elles aux mêmes éléments. Que cette méthode invente le rhinocéronticus est une garantie de l'authenticité de l'imagination dalinienne. La réduction des deux cornes taurines en une seule qui est coupée exprime la castration. Elle est présente symboliquement dans toute les religions (de la mutilation d'Abélard, à la tonsure et au célibat de la religion chrétienne). Que Dali attribue à Jésus et non à la Vierge la puissance procréatrice : ceci aussi est « écrit » dans les mythes les plus archaïques comme les plus récents : du dieu suprême solaire qui s'est engendré lui-même (le Râ égyptien) jusqu'au Jupiter qui conçut Sémelé, mais aussi Athéna (par éclatement de sa tête) et même près de nous Adam générateur d'Ève.

Mais il y a plus · cette inspiration dalinienne n'est pas une révélation divine, mais le résultat de processus mentaux qui frôlent la folie et sur ce point Dali nous offre tous les moyens de comprendre son œuvre. Sa *Vie secrète* est un document incomparable, véritable mine d'or, sans doute pour les amateurs d'humour, les psychiatres, mais aussi pour les psychologues et les esthéticiens, curieux de démonter les mécanismes de la création artistique. Dali nous évoque ses souvenirs d'enfance : que les faits soient volontairement ou inconsciemment arrangés par l'auteur en des buts « publicitaires » importe peu, car la mythomanie, loin de gêner une psychanalyse, l'enrichit. Cette autobiographie est un prodigieux document humain en tous points comparable, en importance scientifique, à celle du président Schreiber, le célèbre paranoïaque mystique dont nous parle Freud.

Toute l'œuvre de Dali est sa vie. La Vierge n'a-t-elle pas le visage de Gala, Dali ne s'est-il pas représenté crucifié avec Gala et saint Jean ? Sa signature elle-même, unie à celle de Gala, n'est-elle pas empalée par un crucifix ?

Le mouvement tourbillonnaire des brouettes autour de la tête de la Vierge, dont nous savons qu'elle est le siège de la naissance de l'épi-Jésus, reçoit son explication du mythe de l'accouchement d'Athéna par Jupiter : ce dernier, avant sa délivrance par la hache de Vulcain, a éprouvé des maux de tête ; ce tournoiement est l'expression des sensations de vertige liées à l'accouchement et ce n'est pas un hasard si un récent article de la *Revue française de psychanalyse* nous apprend que les maux de tête et les vertiges sont liés comme chez Dali et Jupiter au traumatisme de la naissance.

Permanence et perpétuel renouvellement, fondamentalement puisés aux sources archétypiques de l'humain, mais non moins intimement insérés dans la trame historique, dans son époque historique nous semblent caractériser l'essence du génie dalinien et le font rejoindre la grande tradition des Maîtres de la Renaissance, qu'il se plaît si souvent à invoquer. Au-delà des exubérances spectaculaires et parfois frénétiques l'univers dalinien est celui d'un grand baroque.

Docteur Pierre Roumeguère

SALVADOR DALI
ET LE MONDE ANGÉLIQUE

Sécularisés, les espaces infinis n'effrayent plus nos contemporains ; ils les attirent ; par contre, la rationalisation de l'Univers les irrite, celle-ci étant incompatible avec la part indéfinie que la Science actuelle fait au mystère. Elle ne savait pas que c'était si grand, tellement innommable. S'il n'y a plus de formulation possible des mondes, à quoi bon philosopher ? Mais Dante le visionnaire, le poète théologien, parle et l'âme est satisfaite.

Nous traversons les neuf cercles d'Enfer, l'Antipurgatoire, le Purgatoire et ses corniches. Nous arrivons de la septième au Paradis terrestre... Et c'est après le Paradis. Nous parvenons à la Lune, nous apprenons la vraie cause de ses taches. Et les cieux se déploient : celui de Mercure, celui de Vénus, celui du Soleil, celui de Mars, celui de Jupiter, celui de Saturne, le huitième : celui des étoiles fixes, du triomphe du Christ. Puis le neuvième, le lieu de Dieu et des neuf chœurs des Anges...

> Je vis un point, qui dardait un rayon
> Si acéré que le regard qu'il brûle
> Doit se fermer au choc de son éclat
>
> Autour du point un cercle de lumière
> Tournait si promptement qu'il aurait dépassé
> Le mouvement qui ceint le plus vite le monde.
>
> Ce premier orbe était entouré d'un second

Celui-ci d'un troisième et puis d'un quatrième,
Celui-là d'un cinquième et enfin d'un sixième

Un septième suivait...
                    Un huitième et neuvième :
Chacun d'eux tournoyait d'autant plus lentement
Qu'en nombre il se trouvait plus loin de l'unité ;
Était le moins distant de l'Étincelle pure,
Parce que de plus près il boit sa vérité.

Chant XXVIII.

Dans une conversation enregistrée en 1956 avec son accord, Salvador Dali m'a appris que rien ne le stimule comme l'idée de l'Ange. Dali voudrait bien peindre le ciel, pénétrer dans les voûtes célestes afin de communiquer avec Dieu. Dieu est une idée insaisissable pour lui, impossible à concrétiser. Peut-être, pense Dali, serait-Il cette substance que l'on recherche dans la physique nucléaire. Pour lui, Dieu n'est cependant pas cosmique, cela comporterait, m'a-t-il dit, une limitation. Il y voit une série de pensées contradictoires qui ne peuvent se résumer en aucune idée de structure. Dali étant essentiellement catalan a besoin de toucher des formes, *or cela est vrai pour les anges*. « Tout jeune, me dit-il, j'ai composé un tableau sur les anges », et s'il se tourne depuis quelque temps vers la Vierge de l'Assomption, c'est, déclare-t-il, parce qu'elle est montée au ciel *par la force des anges*. Et Dali voudrait connaître le secret de cette élévation.

Quel est donc, ce mouvement ?

(Nous allons saisir pourquoi il utilise du matériel nucléaire dans ses Assomptions.)

Dali imagine que protons et neutrons *sont des éléments angéliques* car dans les corps célestes, explique-t-il, « il y a des résidus de substance, pour la raison que certains êtres m'apparaissent *si proches des anges*, tels Raphaël et saint Jean de la Croix ».

« La température de Raphaël c'est cette température presque froide du printemps et qui est celle justement de la Vierge et de la Rose. »

Et il ajouta gravement : « J'ai besoin d'un idéal d'hyper-esthésique pureté. De plus en plus je suis préoccupé par l'idée de chasteté. C'est pour moi une condition essentielle de la vie spirituelle. »

Pour justifier l'orientation angélique de Salvador Dali, orientation longtemps démoniaque (mais le diable est encore ange) suffirait-il de se référer à l'habitude qu'il avait, étant petit, de s'amuser avec d'autres enfants à presser très fortement sur les orbites pour provoquer des phos-phènes jusqu'à en avoir mal aux yeux ? Ils appelaient cela *jouer à voir des anges*. Suffirait-il de déclarer, comme le lui dit un analyste, que c'était là manière de retrouver le Paradis perdu du sein maternel ? Pourquoi n'y pas voir l'indice d'une « prédestination » ! Il est probable, en tout cas, que Dali, en s'exprimant comme il le fait, a évité la folie, puisqu'ainsi il ne perd pas contact avec les exigences de l'art. Dali, au surplus, croit réellement à l'existence des anges. Comme je lui demandais pourquoi, il me répondit : « Dans n'importe quelle rêverie, je n'éprouve de plaisir qu'à condition que cela puisse être vrai. En conséquence si j'éprouve un tel plaisir à l'approche des images angéliques, je suis fondé à croire à l'existence des anges. » Dali pose en fait qu'il y a une différence très nette entre ce qu'il imagine être un ange (qu'il croit exister réellement pour le motif indiqué) et le Merveilleux qui serait de la fantaisie, « cette pierre angulaire des fous », disait Paracelse.

Dans l'Ange, Salvador Dali se retrouve, se possède ; peut-être rencontre-t-il la belle part de soi-même, cet Autre que Dieu sait et que nous devons réaliser ?

Jusqu'à quel point Salvador Dali a-t-il su pénétrer au Paradis des Anges de Dante dei Alighieri ? Nous allons en juger.

> Comme un essaim d'abeilles, qui tantôt
> Se plonge dans les fleurs, et tantôt s'en retourne
> Au nid où son butin doit prendre son arôme,

Descendait dans la fleur, immense, diaprée,
De pétales sans ombre, et de là remontait
Au point où règne à jamais son Amour.

Tout leur visage était de flamme vive,
Leurs ailes d'or, et le reste si blanc
Que nulle neige à ce degré n'atteint.

Chant XXXI.

Bruno Froissart[1].

---

1. Nous devons à M. Joseph Foret, éditeur du *Don Quichotte* et de *l Apocalypse*, l'autorisation de reproduire cette étude du regretté Père Bruno extraite du catalogue paru à l'occasion de l'exposition du Musée Galliera en 1960.

TABLEAU COMPARATIF DES VALEURS
D'APRÈS UNE ANALYSE DALINIENNE

	Technique	Inspiration	Couleur	Sujet	Génie	Composition	Originalité	Mystère	Authenticité
LÉONARD DE VINCI	17	18	15	19	20	18	19	20	20
MEISSONIER	5	0	1	3	0	1	2	17	18
INGRES	15	12	11	15	0	6	6	10	20
VELASQUEZ	20	19	20	19	20	20	20	15	20
BOUGUEREAU	11	1	1	1	0	0	0	0	15
DALI	12	17	10	17	19	18	17	19	19
PICASSO	9	19	9	18	20	16	7	2	7
RAPHAEL	19	19	18	20	20	20	20	20	20
MANET	3	1	6	4	0	4	5	0	14
VERMEER DE DELFT	20	20	20	20	20	20	19	20	20
MONDRIAN	0	0	0	0	0	1	1/2	0	3,5

Aux Éditions Quai Voltaire / La Table Ronde

LA VIE SECRÈTE DE SALVADOR DALI, 1952 (L'Imaginaire nº 454).
JOURNAL D'UN GÉNIE, 1964 (L'Imaginaire nº 311).
L'ESPUTNIC DU PAUBRE *suivi de* DALI ET LES ÉDITIONS DE LA TABLE RONDE,
2008.

Aux Éditions Gallimard

LES MOUSTACHES RADAR (1955-1960), texte extrait de *Journal d'un génie*, 2004
(Folio 2 € nº 4101).
LETTRES À PICASSO (1927-1970), coll. Le Cabinet des lettrés, 2005.

Aux Éditions Denoël

OUI : *La Révolution paranoïaque-critique – L'Archangélisme Scientifique*, 1971.
LES PASSIONS SELON DALI, entretiens avec Louis Pauwels, 1968.

Collection **L'Imaginaire**

Axée sur les constructions de l'imagination, cette collection vous invite à découvrir les textes les plus originaux des littératures romanesques française et étrangères.

Derniers volumes parus

Achevé d'imprimer par Dupli-Print à Domont (95) en juin 2018
Dépôt légal : juin 2018
Premier dépôt légal : avril 1994
Numéro d'imprimeur : 2018060553
ISBN : 978-2-07-073811-3 / Imprimé en France

342113